Les jardins de Le Nôtre en Île-de-France

Aurélia Rostaing

archiviste-paléographe, conservateur du patrimoine

Photographies de Pascal Lemaître et Patrick Müller

De nombreux jardins sont attribués à Le Nôtre, généralement sans preuve. Les plus fameux se trouvent en Île-de-France et leur paternité ne fait pas de doute car les archives, des documents autographes et des témoignages contemporains attestent son intervention. Il n'est pas facile pour

autant de déterminer la part qui fut la sienne, au-delà de la conception générale du plan d'ensemble, dans la distribution et le dessin des fontaines, des statues et des jeux d'eau. Aucun de ces jardins ne nous est parvenu intact. Tous ont été abandonnés, transformés, restaurés. Presque tous ces jardins – dont certains, comme Saint-Germain-en-Laye, Meudon, Chantilly et le Palais-Royal, n'ont été classés que récemment – font l'objet depuis 1989 de campagnes d'étude, de restauration ou de sauvegarde qui s'accompagnent de plus en plus souvent de fouilles archéologiques. Malheureusement, on ne retrouvera jamais les perspectives ininterrompues qui faisaient le charme des Tuileries, de Meudon et de Saint-Cloud.

Les villes n'ont cessé de gagner du terrain sur la campagne; le souvenir des « maisons aux champs » s'est réfugié dans ce qui reste de leurs jardins.

Jeunesse et formation de Le Nôtre

Jardiniers de père en fils

André Le Nôtre est fils et petit-fils de jardiniers du roi chargés de l'entretien des Tuileries. Sa marraine est l'épouse de Claude I Mollet, premier jardinier du roi, et son parrain, André Bérard de Maisoncelles, est contrôleur des jardins. Sa formation est cependant mal connue. Reçut-il l'enseignement idéal préconisé par Jacques Boyceau, également contrôleur des jardins, dans son *Traité du jardinage* (1638)? Selon ce dernier, le parfait jardinier doit savoir lire, écrire et dessiner, car il est appelé à dessiner des parterres et à tracer des alignements. Si l'apprenti se montre doué, Jacques Boyceau propose de lui enseigner quelques applications pratiques de la géométrie et de l'architecture comme les calculs de longueur et de surface, les proportions, et les termes techniques désignant les portiques et les cabinets de verdure. Le jardinier doit aussi acquérir des rudiments d'arithmétique afin de pouvoir établir un devis sans se laisser abuser par les fournisseurs. Après avoir appris tout cela, il reste à l'adolescent à manier la serpe et la bêche.

La bêche ou le pinceau ?

Le Nôtre a dû apprendre le métier avec son père. Les jardiniers du roi sont chargés d'entretenir des plantes rares ou fragiles, d'inventer des dessins de bosquets et de parterres de buis en broderie♦, et de les reporter au sol. Ils confient fréquemment à des maîtres ou à des compagnons jardiniers le soin de finir l'ouvrage en plantant les arbres, les arbustes et les fleurs dont ils fournissent souvent eux-mêmes la plus grande partie. Le Nôtre aurait fréquenté l'atelier du peintre Simon Vouet en même temps que le peintre Le Brun et le sculpteur Lerambert; il aurait également travaillé aux côtés de François Mansart.

♦ *Parterre de broderie :* parterre orné de motifs de broderie réalisés en buis qui apparaît vers la fin du XVIᵉ siècle; il est caractéristique du jardin à la française.

Dessinateur de jardins

Jean Le Nôtre transmet à son fils ses charges de jardinier du roi aux Tuileries (1637) et de dessinateur des jardins du roi (1643). Cette dernière charge apparaît

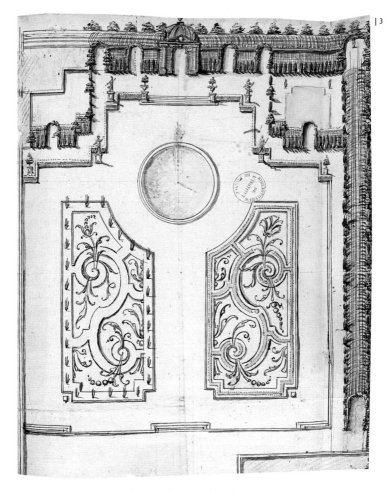

Plan de jardin d'hôtel dessiné par Le Nôtre, années 1670 (Paris, Institut de France).

dans le milieu des jardiniers du roi à la génération de Claude I Mollet et de Jean Le Nôtre, vers 1619, sinon avant. À la fin du XVIe siècle, Claude I Mollet avait eu le privilège d'apprendre de l'architecte Étienne Dupérac une nouvelle manière de tracer les jardins qui proscrivait les plans répétitifs en damier jusqu'alors en vogue. Les deux hommes durent répandre ce nouveau style parmi les jardiniers du roi.

Claude I Mollet, sans doute plus âgé que Jean Le Nôtre, est le seul à détenir le titre de premier jardinier ; en 1625, il reçoit le double du salaire de Jean Le Nôtre. Les deux familles sont chargées d'entretenir chacune un secteur des Tuileries. Claude I Mollet œuvre également à Fontainebleau, Saint-Germain-en-Laye, Vincennes, Coulommiers, Liancourt ; il dispose comme Jean Le Nôtre d'une riche clientèle privée, mais les deux hommes ne semblent pas travailler en association. André Le Nôtre connaît nécessairement Claude I Mollet, auteur du *Théâtre des plans et jardinages* (1652), et ses cinq fils, eux aussi jardiniers du roi aux Tuileries et dessinateurs de jardins.

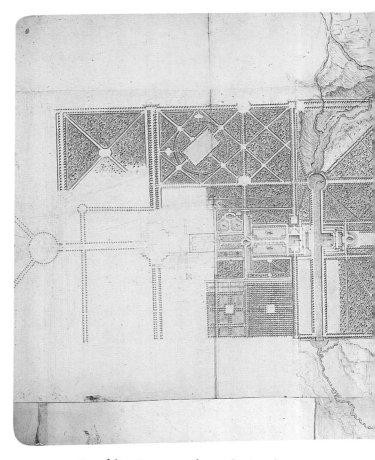

Projet de plan pour Vaux-le-Vicomte dessiné par Le Nôtre, vers 1656-1658 (Paris, Institut de France).

La filiation confuse du jardin à la française

De son vivant, le nom de Le Nôtre est associé à un type de jardin qui paraît entièrement nouveau et vient supplanter le modèle jusqu'alors incontesté des jardins italiens. Mais dans quelle mesure Le Nôtre est-il vraiment le père de ce que le XIXᵉ siècle a baptisé « jardin à la française » ? Toute la question est de savoir qui, avant l'entrée en scène de Le Nôtre, donne les plans d'ensemble des jardins ; il est difficile d'y répondre car on conserve très peu de dessins d'atelier, et les archives n'ont encore livré que de faibles indices. Si l'on excepte le fameux plan Destailleur des Tuileries (1595-1600), les premiers plans de jardins dessinés datent du milieu du siècle, et le premier est sans doute celui de Vaux-le-Vicomte, dû à Le Nôtre. La plupart des fonds de dessins d'architecture du XVIIᵉ siècle contiennent peu de plans de jardins, comme si ces derniers ne constituaient qu'un aspect mineur du travail de l'architecte. En revanche, les gravures multiplient les vues de jardins où le château est réduit à

un point de détail ; elles n'en montrent cependant pas le plan, contrairement aux *Plus Excellents Bâtiments de France* de Jacques I Androuet du Cerceau (1576-1579). En résumé, on manque de preuves.

Enfant naturel des jardiniers…

Certains historiens des jardins se sont fondés sur les traités de Jacques Boyceau (1638), d'André Mollet (1651) et de son père Claude I (1652) pour démontrer que Le Nôtre n'aurait fait qu'appliquer des principes largement répandus parmi les jardiniers : varier les différentes parties du jardin et les proportionner les unes aux autres tout en les séparant par de grandes allées. Les archives le montrent, ce sont les jardiniers du roi que les membres de la cour et la noblesse parlementaire emploient pour dessiner, planter ou faire planter les bosquets et les parterres de broderie. Les recherches, encore récentes en ce domaine, portent à croire que les jardiniers s'en tenaient là, car on n'a toujours pas découvert de jardin célèbre créé par un jardinier. Ce n'est guère qu'à Liancourt

qu'un Mollet, probablement Claude II, serait intervenu sur un très grand jardin, mais on ne sait s'il l'a réalisé seul ou sous les ordres d'un architecte. On n'a pas non plus de témoignage d'une éventuelle association entre un architecte et un jardinier spécialisé dans l'élaboration de plans de jardins, du moins jusqu'à celle de Le Nôtre et de Mansart.

... fils spirituel des architectes...

D'autres historiens, le plus souvent des historiens de l'architecture, insistent davantage sur le rôle des architectes : le grand canal de Pierre Le Muet à Tanlay, terminé par une perspective de maçonnerie, les jardins de Salomon de Brosse à Blérancourt, ceux de François Mansart seraient des modèles précurseurs. Mais ces jardins sont encore mal connus, et les architectes eux-mêmes n'accordent dans leurs traités aucune place à l'art des jardins avant la fin du XVIIᵉ siècle.

... et neveu par alliance des Italiens

On ne manque pas non plus de souligner l'importance du modèle italien, référence obligée des artisans, des artistes et des amateurs français depuis la fin du XVᵉ siècle au moins. De fait, les voyages en Italie, la présence d'artistes et de courtisans italiens à la cour de France, enfin la venue, en 1598, des Francine, hydrauliciens du duc d'Este à Pratolino, ont amené le goût des statues, des grottes, des automates et des jeux d'eau. Sous le règne de Louis XIII (1610-1643), Rueil, Richelieu, Lésigny, la Chevrette, Liancourt, Saint-Cloud et plusieurs autres jardins se signalent par une abondante statuaire, des grottes et des jeux d'eau auxquels le savoir-faire des Francine n'est sans doute pas étranger.

Le Bassin de Neptune à Versailles, par Jean-Baptiste Martin, tableau commandé en 1693. Les jeux d'eau jaillissant des ouvrages de plomb doré et de marbre blanc de l'Arc de triomphe (à gauche ; vers 1677-1683) et des Trois Fontaines (à droite ; vers 1682-1684) émerveillaient les visiteurs. Les arbres de ces deux bosquets ont été replantés vers 1992 (Versailles, musée national des châteaux de Versailles et de Trianon).

Croquis de Le Nôtre pour une fontaine de rocaille en forme de pyramide, ornée de têtes d'enfants crachant de l'eau (Paris, Institut de France).

La cascade de Sceaux.

«… le souci de la restauration actuelle n'a pu être de refaire strictement ce qui existait : le nombre des vasques, la mise en œuvre de la pierre et son mode d'appareil, la disposition des motifs formant allée d'eau sont choses nouvelles ; pour le moment, l'alimentation en eau paraît encore un peu faible… » (Félix Ollivier, *L'Architecture,* janvier 1936, p. 11-12.)

La carrière de Le Nôtre

De mystérieux débuts

André Le Nôtre n'a pas laissé de mémoires ni de traité, et presque tous ses papiers personnels ont disparu ; ceux qui subsistent datent à peu près tous du dernier quart du siècle, où sa carrière administrative, la réussite de Vaux-le-Vicomte et le prestige de Versailles lui valent une clientèle de choix. En dehors de rarissimes témoignages, on ne connaît rien de ses débuts avant le chantier de Vaux (1655-1661) ; pour ce qui est des châteaux royaux, les comptes des Bâtiments du roi sont lacunaires

Projet de plan pour Chantilly signé par Pierre II Desgots, vers 1672-1673 (Chantilly, musée Condé).

plant de chantilly

avant 1664. On sait seulement qu'il a planté le jardin de la reine à Fontainebleau (1645-1646) et qu'il aurait dessiné les jardins de Berny avant 1656. L'époque de sa maturité n'est pas toujours favorable aux commandes privées. De 1625 à 1659, la France est souvent en guerre ; la pression fiscale, la minorité de Louis XIV (1643-1651) et les ambitions particulières multiplient les occasions de révoltes, de malversations et de guerres civiles où maintes demeures privées, comme Meudon, sont livrées au pillage. Certains partisans, des financiers qui avancent le budget de l'État, font aussi rapidement fortune que faillite. Ce que l'on sait de la carrière de Le Nôtre ne commence guère qu'avec le gouvernement personnel de Louis XIV (1661) et le chantier de Versailles.

Le Chantier de Versailles (détail), tableau attribué à Adam François Van der Meulen, vers 1679-1683. Le roi (de profil), Colbert (au centre, couvert), Le Nôtre (tout à droite), Hardouin-Mansart (? à côté de lui) et des contrôleurs, intendants ou entrepreneurs des Bâtiments (Londres, Saint James's Palace).

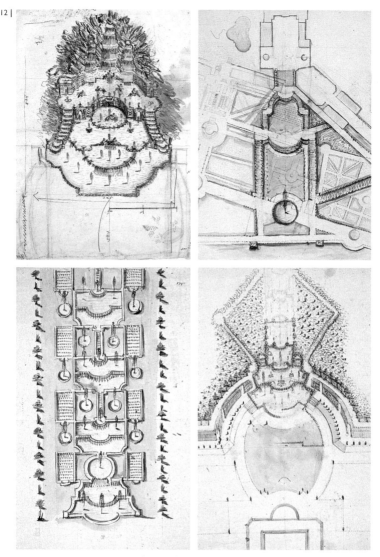

Dans l'ombre du Roi-Soleil

En 1657, peut-être enrichi par le chantier de Vaux-le-Vicomte, Le Nôtre achète l'office de contrôleur général ancien des Bâtiments du roi, ce qui l'amène à suivre divers travaux de sculpture, de charpenterie ou de maçonnerie et à contrôler leur exécution aussi bien que les comptes des entrepreneurs. Il donne désormais les plans de tous les jardins royaux.

Le jardinier des Bâtiments

Le Nôtre occupe une place sans précédent au sein des Bâtiments du roi. Aucun jardinier avant lui ne s'est fait un nom; la renommée des Mollet n'est en rien comparable à la sienne, et ils la doivent plus à la publication de leurs traités qu'à leur œuvre. Le Nôtre est le premier à sortir de l'ombre et aucun jardinier après lui ne gagne ses lettres de noblesse pour avoir dessiné le plan d'un jardin. Ses neveux feront carrière en suivant une formation d'architecte. Les contemporains de Le Nôtre sollicitent son avis sur des plans de jardins mais aussi, parfois, sur des bâtiments. Le Nôtre assiste aux séances de l'Académie d'architecture mais n'en est pas membre.

Le métier de Le Nôtre : la bêche, la pomme de chou et les limaçons

Anobli en 1681, Le Nôtre aurait déclaré au roi, qui voulait lui donner des armes, « qu'il avoit les siennes, qui étoient trois limaçons couronnez d'une pomme de choux. Sire, ajouta-t-il, pourrois-je oublier ma bêche ? combien doit-elle m'être chère ? N'est-ce pas à elle que je dois les bontez dont Votre Majesté m'honore ? » (biographie par Claude Desgots, 1730). Le Nôtre a certainement manié la bêche dans sa jeunesse, mais il a dû manier plus souvent la plume et le pinceau, laissant à des collaborateurs le soin de mettre au net ses pensées. Le Nôtre suit sur le terrain le chantier de Versailles, ce qui rend parfois difficile sa présence à Chantilly où il est représenté par son neveu Pierre II Desgots, de même qu'à Choisy. Il travaille aussi avec les Le Bouteux (Trianon, Saint-Cyr, Marly) et des collaborateurs d'occasion comme Carbonnet, Colinot, du Marne, Duparc et sans doute bien d'autres, encore inconnus. Quand il ne peut se déplacer, il se fait envoyer un plan et une vue en coupe des lieux, et la communication se fait par l'intermédiaire de plans annotés ; c'est ainsi qu'il reçoit un plan de Greenwich, vers 1662, et qu'il envoie en 1678 un plan pour les jardins de l'archevêché de Bordeaux. On sait peu de chose de sa collaboration avec les architectes. Il lui arrive d'intervenir sur un terrain qui leur est traditionnellement réservé, comme les escaliers des Tuileries ou celui de Saint-Cloud. Il aurait donné le dessin des vases posés au bord de la pièce de Neptune, à Versailles ; il a proposé, tels Le Brun et Hardouin-Mansart, plusieurs projets de cascades.

Page de gauche | 13

Projets autographes de Le Nôtre : en haut à gauche, croquis peut-être destiné à Marly (vers 1685-1693) ; à droite, un escalier monumental devant le château de Saint-Cloud (après 1683) ; en bas à gauche, la cascade de Sceaux (vers 1670-1677) ; à droite, la Rivière de Marly [vers 1685-1693] (Stockholm, Nationalmuseum).

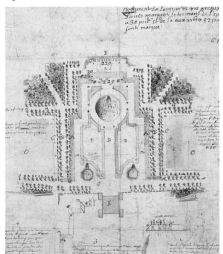

Greenwich, dessin d'un collaborateur inconnu, annoté par Le Nôtre, vers 1662 (Paris, Institut de France).

L'art de Le Nôtre :
« grandeur et beauté »

À la mort de Le Nôtre, un contemporain rappela qu'il « détestait les vues bornées » (*Le Mercure de France*, septembre 1700). Mademoiselle de Montpensier rapporte justement que Le Nôtre lui avait conseillé d'abattre tout ce qu'il y avait de bois à Choisy, proposition qui lui déplut car elle aimait à s'y promener. Le Nôtre aurait

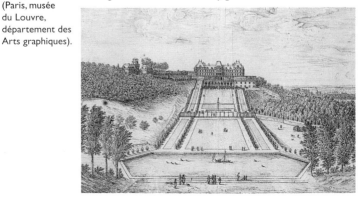

dit au roi que sa cousine avait choisi « la plus vilaine situation du monde, que l'on n'y voyoit la rivière que par une lucarne » (Mademoiselle de Montpensier, *Mémoires*, 1680). En 1766, les Bâtiments du roi signalent encore le « magnifique point de vue de la terrasse qui termine la grande allée, qui n'a été faite que pour jouir du coup d'œil de la campagne et des coteaux des environs ». Dans chacune de ses créations majeures, Le Nôtre a ouvert des perspectives sans fin, recherché

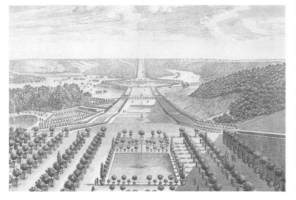

En bas
Les Jardins de Meudon, par Israël Silvestre, 1685-1686;
en page de gauche, l'hexagone de Chalais, le tapis vert, le grand carré d'eau, l'orangerie (conservée) et le Château Vieux (détruit), derrière lequel se trouve la Grande Terrasse;
ci-contre, vue inverse de la précédente, avec, à gauche, le début des jardins bas et le bassin de l'Ovale (Paris, musée du Louvre, département des Arts graphiques).

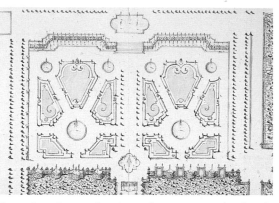

**Projet de
Le Nôtre pour
le parterre
du Nord à
Versailles,**
vers 1668-1670.
On voit l'emprise
du salon de la
Guerre, le bassin
de la Sirène, des
cascades basses
non réalisées,
le parterre du
Nord (exécuté
presque
à l'identique),
le bassin de la
Pyramide, le bain
des Nymphes
entre
des jeux d'eau
non réalisés,
et le début du
tapis vert
de l'allée d'Eau
(Stockholm,
Nationalmuseum).

Goulettes :
fontaines ou
nappes d'eau
généralement
reliées par de
petits canaux
le long d'une pente
douce. Le Nôtre
en a créé à
Chaville, à l'Arc
de triomphe
de Versailles,
au bosquet des
Sources de Trianon
et à Saint-Cloud.

des points de vue choisis sur la campagne ; le plan de
chacun de ses jardins fait apparaître de grands axes,
canaux immenses ou avenues majestueuses. Il ménage
des effets de surprise : ici, le canal de Vaux-le-Vicomte,
qui n'apparaît au promeneur qu'une fois arrivé à l'arpent d'eau ; là, celui de Sceaux, dissimulé en contrebas
de la balustrade de la terrasse des Pintades. À Versailles,
les bras latéraux du Grand Canal ne se dévoilent qu'au
fil de la promenade. Ailleurs, le terrain est mis en scène :
à Meudon, par exemple, les terrains acquis par Louvois
permettent à Le Nôtre d'aménager une perspective
vertigineuse. On connaît moins bien l'usage qu'il a pu
faire de la statuaire et des jeux d'eau, mais ses dessins
trahissent une prédilection pour l'ornementation. À
Versailles, il propose, de part et d'autre de l'allée d'Eau,
des cascades basses hérissées de jets d'eau et décorées
de masques et de vasques. On retrouve dans un autre
projet de cascade le motif des vases jaillissants, un
poncif de l'époque, d'origine italienne. Dans tous ces
projets, les murs sont rythmés de pilastres traités en
bossages rustiques. Le Nôtre s'adapte au terrain, dont

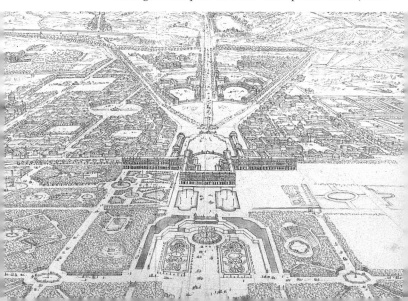

le relief naturel appelle certains types d'aménagements; ainsi, à une pente douce correspondent des goulettes*. La tête d'un canal, agencée en buffet d'eau, peut être ornée de vasques en forme de coquilles, autre motif italien. Un terrain marécageux peut être drainé, comme celui du Grand Canal de Versailles, et l'eau des sources conduite de façon à alimenter des bassins. Une partie du jardin est toujours réservée à des bosquets plus intimes que les grandes perspectives. Ils font impression par une profusion ornementale qui tranche avec le dépouillement d'une structure rigoureusement géométrique. Les projets de bosquets et jeux d'eau de Le Nôtre recherchent systématiquement la variation formelle.

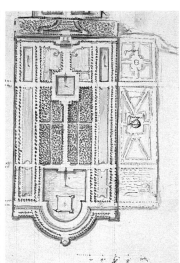

Projet pour Gaillon (Normandie) par Le Nôtre, vers 1691 (Stockholm, Nationalmuseum).

Voir Rome…

Le Nôtre se rend en Italie en 1679 pour nourrir son inspiration et examiner les travaux des élèves sculpteurs, peintres et architectes de l'Académie de France à Rome. La tradition veut qu'il ait été déçu par les jardins italiens; elle est peut-être partisane, mais il se peut aussi que Le Nôtre ait trouvé ces jardins en dessous de leur réputation ou de ce qu'il avait pu imaginer. Il se consola certainement en rapportant des petits bronzes, des estampes, des médailles et des tableaux pour sa collection.

Le « bonhomme » Le Nôtre

Autant Saint-Simon présente Hardouin-Mansart comme un parvenu insupportable, autant le « bonhomme » Le Nôtre trouve grâce à ses yeux : « Jamais il ne sortit de son état ni ne se méconnut » (Saint-Simon, *Mémoires*, 1700). Le Nôtre conserva toujours la faveur du roi. Plusieurs anecdotes rendent compte avec complaisance de sa simplicité enjouée et de son franc-parler. Son biographe –son petit- neveu Claude Desgots – rapporte que « le long usage qu'il avoit de la Cour n'avoit pu diminuer en lui l'amour de la vérité : il ne trouvoit pas que le plus grand roi du monde sçût l'art des jardins aussi parfaitement que lui, et le disoit sans se contraindre ». L'une de ses dernières lettres, où il réclame son dû au contrôleur général des finances, ironise sur la vanité des amitiés intéressées : « Les amis sont les amis ; j'en ay

Page de gauche en bas **Versailles,** par Israël Silvestre, vers 1680 : le Tapis Vert, le bassin de Latone, le parterre d'eau, la patte d'oie. À gauche, le Chêne vert et le Théâtre d'eau; à droite, la salle de Bal; au second plan, à gauche, le parterre du Nord, l'allée d'Eau entre les Trois Fontaines et l'Arc de triomphe, le rond d'eau du Dragon et la pièce de Neptune; à droite, l'orangerie (Paris, musée du Louvre, département des Arts graphiques).

beaucoup quy me font meinte et meinte caresse, teste couronnée, principauté, cardinaux, archevesque, chancellier, premier président, intendant des finences et trésorier de l'Espargne. Mais hélas Monsegneur, il n'y a que vous de véritable et de bon amy quy me puisse faire donné et payé de cinq mil deux cens quatre-vingt livres. Vous ne sçauriez employé ce beau nom de Pontchartrin et Phélypeaux mieux que pour vostre très humble et très obéissant serviteur. »

Le Nôtre après Le Nôtre

À la mort de Le Nôtre, en septembre 1700, *Le Mercure de France* écrit qu'il « était estimé de tous les souverains de l'Europe, et il y en a peu qui ne lui aient demandé de ses dessins pour les jardins » – ainsi pour Greenwich, Racconigi, Charlottenbourg, Herrenhausen, Windsor et la Venaria Reale de Turin. Le Nôtre ne manque pas une occasion d'offrir ses services. L'architecte suédois Nicodème Tessin le Jeune, le jardinier Johan Hårleman et son fils Carl, architecte de formation, sont venus à plusieurs reprises copier ses dessins.

La rançon de la gloire

« Les jardins de Versailles : costume de Paul Poiret dans le goût Louis XIV » (*Gazette du bon ton*, février 1913). Cette œuvre fut peut-être présentée à côté d'œuvres de Rodin, Majorelle, Guimard, Duchêne et des frères Véra à l'exposition « L'art du jardin » organisée à Bagatelle (Paris) par la Société des amateurs de jardins, fondée en 1912 (Paris, bibliothèque d'Art et d'Archéologie).

Son œuvre se transforme. Les éléments les moins durables et les plus coûteux à entretenir disparaissent les premiers. Les cascades rutilantes en marbres de couleur, les fontaines de rocaille, de bronze et de plomb doré, les jeux d'eau ne ravissent plus le promeneur, qui recherche un contact plus intime avec la nature. Des amateurs de jardins réduisent son art à une image un peu fausse, pour ne pas dire caricaturale, en lui faisant porter la responsabilité d'un style abâtardi. On s'en prend à tout ce qui semble être une contrainte imposée à la nature, depuis la taille des charmilles, des ifs et des buis jusqu'au tracé d'allées rectilignes jugées monotones et ennuyeuses. Les grandes avenues, les canaux sont toujours en place, mais les arbres ne sont plus taillés et l'abandon de ces parcs parle enfin aux âmes romantiques.

En 1913, le tricentenaire de la naissance de Le Nôtre fait naître le souci de promouvoir une œuvre identifiée à la grandeur de la France éternelle. Surgissent alors des attributions inédites, et très critiquables pour la plupart. Pour mieux connaître l'œuvre de Le Nôtre, il faut approfondir ce que nous croyons savoir de ses réalisations majeures et nous pencher sur des attributions anciennes qui n'ont jamais été étudiées. Il faut, dans le même temps, défricher plus largement encore l'histoire des jardins français du XVIIe siècle.

Les collections d'André Le Nôtre

Le Nôtre tire de confortables revenus de ses rentes, pensions et gages, sans compter les commandes privées. Il consacre une bonne partie de sa fortune à ses collections et déclare, dans un testament rédigé quelques mois avant sa mort, qu'il a « tousjours esté d'inclination à faire dépenses pour son cabinet et curiositées, sans songer à conserver du bien, mais seulement de la gloire et de l'honneur ». Les guides de voyage recommandent la visite de ce cabinet situé dans son appartement des Tuileries. En 1693, il fait sensation en donnant au roi une partie importante de ses tableaux peints par le Dominiquin, l'Albane, Bruegel de Velours, Paul Bril, François Perrier, Poussin et le Lorrain, ainsi que d'admirables petits bronzes de Jean de Bologne, Susini, Tacca, Michel Anguier et Girardon. Louis XIV les fait exposer à Versailles. Le Nôtre garde des tableaux de genre flamands et hollandais, que le roi n'apprécie pas, ses « porcelaines de la Chine », ses livres, ses estampes (reproductions de tableaux de Le Brun, Poussin, Mignard, Coypel,

vues de Versailles et des maisons royales par Le Pautre, Marot et Silvestre, un recueil d'Androuet du Cerceau, les œuvres gravés de Rembrandt et de Nanteuil), quelques curiosités (dont la « momie » de Vaux-le-Vicomte, en fait un sarcophage égyptien) et la collection de médailles modernes dont il est si féru. Le roi lui fait donner régulièrement des médailles et des estampes. Le Nôtre en achète aussi ou en demande à ses relations. Il meurt avant de voir achevé son portrait en médaille, qu'il avait commandé. La bibliothèque de Le Nôtre semble avoir été célèbre ; elle ne compte à sa mort que peu d'ouvrages d'architecture, et presque aucun ouvrage sur les jardins. Il possède des recueils gravés reproduisant des médailles ou des thèmes en vogue, campagnes militaires, cabinets d'antiques, portraits, costumes des peuples. On connaît ces collections par des témoignages tardifs : la donation de 1693 et l'inventaire après décès. Le Nôtre avait demandé que ce qui lui restait soit vendu après sa mort.

Quelques statuettes en bronze offertes par Le Nôtre à Louis XIV en 1693.

En haut, groupes attribués à Ferdinando Tacca, vers 1640-1650 : *Junon et Mercure* (Bayonne, musée Bonnat) et *Apollon et Daphné* (Paris, musée du Louvre, département des Objets d'art).

En bas, à gauche et à droite, deux petits bronzes de Giovanni Francesco Susini : *Vénus fouettant l'Amour*, 1639, et *Vénus brûlant les flèches de l'Amour*, 1638 ; au centre, *Amphitrite*, d'après un original de Michel Anguier de 1652-1654 (Paris, musée du Louvre, département des Objets d'art).

Jardin de Saint-Cloud.
«Feu Monsieur employa Le Nostre à Saint-Cloud; il profita avec tant d'art de l'admirable situation de ces jardins qu'il s'en fallut [de] peu que Louis XIV même n'en devînt jaloux.» (Biographie de Le Nôtre par Claude Desgots, 1730.)

Visite

Je vous suplie, sans abuser de vostre
bonté, souvenez-vous de tout ce que
vous avez veu de jardins
en France, Versaille, Fontainebleau,
Vau-le-Viconte et les Thuilleries,
et surtout Chantilly.
(Le Nôtre à Portland, surintendant des Bâtiments
de Guillaume III d'Angleterre, 1698.)

Les cascades,
l'arpent d'eau,
les parterres et
le château de
Vaux-le-Vicomte
depuis la grande
gerbe située
au-dessus du canal
et de la grotte.

Vaux-le-Vicomte

Première commande privée
connue de Le Nôtre, Vaux est
l'un des rares jardins dont
nous conservons le dessin.
Fouquet a acheté la seigneurie
de Vaux en 1641 et multiplié
les acquisitions de terrains
entre 1648 et 1653, engageant
en 1652, avant la construction
du château par Louis Le Vau
(1656), d'importants ouvrages
de terrassement et
d'adduction d'eau. En 1658,
on travaille à l'avenue, au pont,
au réservoir et à l'aqueduc ;
le cours de l'Anqueuil est
canalisé. Les cascades (1657),
la grotte et la grille d'eau
de Lespagnandel (1659) sont

bâties à la même époque.
Le Nôtre assiste au marché
verbal pour la statue de
l'Anqueuil, passé par
Lespagnandel, qui prend en
charge les autres sculptures de
la grotte par un contrat
de 1659 (le Tibre, quatre lions
et le parement*). Le Brun
aurait donné le dessin de
presque toutes les statues du
jardin. Poussin donne les
modèles de quatorze termes
et Puget sculpte un *Hercule
gaulois*. La mise en œuvre
des jeux d'eau reviendrait au
décorateur de théâtre
Giacomo Torelli. Après la fête
de Vaux (1661), le clan Colbert
l'emporte. Le surintendant
des finances est convaincu

* Parement :
revêtement d'un
mur ; les grottes
(Vaux, Chantilly),
les cascades et
la tête des canaux
(Fer-à-Cheval
de Trianon,
Fontainebleau)
étaient souvent
ornées de
« congélations »,
sortes
de stalactites.

Les statues de l'Anqueuil
(à gauche)
et du Tibre
(à droite),
sculptées
par Matthieu
Lespagnandel
en 1659, sont
abritées dans
une grotte ornée
de fausses
pétrifications
et de bossages.

Les termes
sculptés
par Matthieu
Lespagnandel vers
1657-1659,
la grille et l'allée
d'accès au château.

♦ Boulingrin :
*parterre de gazon
renfoncé, parfois
planté d'arbres,
arbustes ou
arbrisseaux selon
sa taille, et parfois
placé au centre
d'un bosquet.
Le Nôtre en
a créé à Vaux,
aux Tuileries,
à Saint-Germain
et à Trianon.*

♦ Vertugadin :
*talus de gazon
en forme
d'amphithéâtre,
fermant une
perspective.
Le Nôtre en a créé
à Chantilly,
Versailles (pièce des
Suisses) et Meudon.*

de prévarication, on en
veut pour preuve les «sommes
englouties» à Vaux dans
ces «montagnes déplacées»
(archives du procès). Pire, il est
accusé de trahison. Les travaux
sont presque achevés quand
Fouquet est arrêté; il échappe
de justesse à la condamnation
à mort et part finir ses jours à
Pignerol. Un marché d'entretien
de 1697 décrit sommairement
ces jardins plantés d'ormes,
de sapins, de charmilles, de
châtaigniers, de tilleuls,
de marronniers d'Inde, d'ifs et
de buis. Le fils de Fouquet
reprend les plantations d'arbres
et finit de faire tracer la grande
avenue pavée (l'axe de la
grande allée est l'un des rares
vestiges du XVIIe siècle).
À sa mort (1705), le domaine
est vendu au maréchal de Villars
qui transforme les jardins
en supprimant les goulettes
situées entre le rond d'eau
et l'arpent d'eau, ainsi que les
bassins des parterres de gazon.
Les cascades, en ruine en 1755,
sont en travaux en 1768,
date vers laquelle la figure de
Neptune destiné au canal
est placée au milieu de l'arpent
d'eau. Au début du XIXe siècle,
le duc de Choiseul-Praslin fait
de Vaux un jardin à l'anglaise, où
seul subsiste le canal. À partir
de 1842, son fils Théobald fait
rétablir les bassins, une partie
des jeux d'eau, les terrasses

et les parterres; il crée des
boulingrins♦ au pied
du château, sur l'emplacement
primitif des parterres de
broderie. François-Hippolyte
Destailleur restaure la grotte
en 1845. Théobald de Choiseul-
Praslin meurt deux ans plus
tard, laissant à l'état d'abandon
les grandes cascades,
la statuaire et les perspectives.
Alfred Sommier acquiert le
domaine en 1875, reconstitue
les cascades et fait rétablir
une abondante statuaire par
l'architecte Hippolyte
Destailleur. La plupart des
statues anciennes sont en effet
vendues en 1875 et 1876,
à l'exception des Saisons et
des sculptures de la grotte
et des cascades, alors en très
mauvais état. La grotte est
restaurée entre 1883 et 1888.
Les deux lions couchés et les
deux lions dressés au départ
des deux rampes de la grotte
sont les dernières pièces qui
datent de l'époque de
Le Nôtre, avec la grille d'entrée
ornée des termes de
Lespagnandel. En 1908, le fils
d'Alfred Sommier appelle à
Vaux le paysagiste Achille
Duchêne. Il crée les deux
parterres latéraux (1911),
reconstitue le parterre de la
Couronne (1913) puis, au pied
du château, des parterres
de broderie inspirés des
gravures d'Israël Silvestre,
et à main droite le parterre de
Diane (1920). Il transfère aux
extrémités de l'allée du rond
d'eau les groupes sculptés
qu'Alfred Sommier avait placés
dans le parterre de broderie.
L'*Hercule au repos* qui arrête
la vue au-dessus du vertugadin♦
est une réplique en bronze
de l'*Hercule Farnèse* de la fin des
années 1880 presque deux fois
plus grande que l'original.
On voit aujourd'hui les jardins
tels que les Destailleur et
Duchêne les ont fait revivre
sans connaître le projet
autographe de Le Nôtre.

Versailles

En 1661, Louis XIV décide de faire sa principale résidence du pavillon de chasse construit à partir de 1623 par son père, au bourg de Versailles. En 1629, Alexandre Francine avait passé un marché d'adduction d'eau. Le jardin, commencé en 1631, se compose de parterres de broderie, publiés par Boyceau, et de deux bosquets ; il se termine au rond d'eau, à l'emplacement actuel du bassin d'Apollon. L'architecte Louis Le Vau agrandit le château et bâtit une première orangerie (1663). Condamnée par la construction de l'aile du Midi, elle est remplacée par l'orangerie d'Hardouin-Mansart (1684). Le Nôtre fait une proposition pour sa balustrade mais il intervient surtout sur les jardins. La patte d'oie des trois avenues de Saint-Cloud, Paris et Sceaux est tracée dans les années 1660. Le Nôtre crée les parterres du Nord et du Midi en reportant leur alignement à l'ouest, à l'avant du château. Au nord, sous la fontaine de la Pyramide et le bain des Nymphes (Girardon, vers 1668-1672) qui suivent ce nouvel axe nord-sud, il ponctue par sept paires de fontaines la pente de l'allée d'Eau ou des Marmousets (1670). Celle-ci se termine par une demi-lune que huit fontaines de marmousets viennent border en 1678 et dont le rond d'eau du Dragon orne le centre. L'axe s'achève par le bassin de Neptune (1676), une pièce d'eau semi-circulaire dont le pourtour est orné de vases tous différents, dont Le Nôtre aurait donné le dessin. Les groupes de plomb, réalisés par Lemoyne, Adam l'Aîné et Bouchardon, ont été installés entre 1738 et 1743. La pièce et ses jeux d'eau ont été restaurés de 1883 à 1889 et les plombs réparés vers 1936. D'un marécage situé au sud, on fait la pièce des Suisses (1678-1682), ainsi nommée en mémoire des gardes suisses chargés de la creuser. Le Nôtre avait projeté d'installer une cascade de l'autre côté (1687). En direction de l'ouest, il souligne la perspective qui aligne les rampes en fer à cheval de Latone (1663-1665), l'allée Royale (ou Tapis vert), élargie en 1667, 1674 et 1680, et la pièce d'eau des Cygnes, agrandie. Le groupe de Latone et ses enfants (Diane et Apollon), d'abord au ras de l'eau, est surélevé en 1680 par Hardouin-Mansart et retourné en direction du canal.

L'intérieur de l'orangerie construite par Jules Hardouin-Mansart en 1684.

Le Nôtre draine le terrain marécageux situé en contrebas pour former le Grand Canal, spectaculaire prolongement de l'axe est-ouest. Son bras transversal relie la ménagerie de Le Vau (vers 1663 ; détruite) à Trianon (1671-1674). On transplante des arbres adultes : ormes, tilleuls, hêtres, chênes, chênes verts. En 1682, le roi et la cour s'installent à Versailles. Depuis le début du règne, les jardins sont le cadre de fêtes grandioses associant collations, feux d'artifice et comédies-ballets de Molière et Lulli.

Le groupe de Latone et ses enfants sculpté par Gaspard et Balthasar Marsy en 1669-1670, restauré vers 1891-1892. Latone punit les paysans lyciens qui s'étaient moqués d'elle en les changeant en grenouilles.

**Le parterre de l'Orangerie
à Versailles.**
«Au bout de la grande pièce
[des Suisses] il [...] se rencontre
la plus belle situation du monde
pour représenter quelque chose
de grand vers l'Orangerie et
le costé du chatteau ; Monsr
Le Noter [sic] m'en a montré
son dessein, qui estoit fort bien
entendu, mais avec des cascades
de prez de cent aulnes de largeur

[environ 60 m], ainsÿ qu'on croit
qu'il ne sera pas exécuté à cause
qu'il faudroit un'aute Seine
pour suffir aux eaux qui seroient
requises. »
(Nicodème Tessin le Jeune, 1687.)

Le bras nord du Grand Canal aboutissant à Trianon. Les rampes du Fer-à-Cheval sont revêtues de pétrifications fortement arasées à la suite d'une restauration sévère en 1895-1900. Le Grand Canal, à sec depuis la Révolution, a été remis en eau vers 1808.

La statuaire

En marbre, en plomb ou en bronze doré, la statuaire est omniprésente. Le premier peintre Le Brun donne le dessin du groupe de Latone, de la fontaine de la Pyramide et du bain des Nymphes, le programme iconographique des vingt-quatre statues mises en place en 1683 sur le parterre de Latone, contre des palissades, et le dessin du groupe du char d'Apollon, installé sur l'ancien bassin des Cygnes. Il dessine aussi le premier parterre d'eau situé au pied du château, qui fut modifié deux fois avant de prendre la forme des deux rectangles actuels. Il fournit également les modèles des Fleuves et des Rivières qui bordent ce parterre, et ceux des bassins des Saisons placés à l'intersection des allées secondaires. La restauration des plombs ne se fit pas toujours avec toute la délicatesse requise : Pierre de Nolhac écrit que, vers 1896-1901, «le service d'architecture s'adressa tout bonnement à l'entrepreneur de plomberie du château, honorable industriel, qui mit à ce travail d'art le même soin qu'à ses fournitures de tuyaux» (*La Résurrection de Versailles*, 1937). Le résultat fut paraît-il affreux, surtout pour Flore déjà très endommagée.

Louvois, surintendant des Bâtiments, fait copier par les élèves de l'Académie de France à Rome les antiques conservées dans les palais et les jardins romains ; ces copies ornent Versailles à partir des années 1680. On ignore la part prise par Le Nôtre dans le choix et l'emplacement des statues ; Louis XIV le consulte à ce sujet, en même temps que le premier architecte Hardouin-Mansart. Au dire de Saint-Simon, ce dernier faisait croire au roi «qu'il possédait les délicatesses de l'architecture et des beautés des jardins aussi excellemment que l'art de gouverner» en lui montrant des plans inachevés, «surtout pour ses jardins», de manière à suggérer ses propres intentions ; il prétendait alors qu'il n'aurait jamais trouvé ce que le roi proposait (*Mémoires*, 1708 et 1715). Le Nôtre, moins diplomate et plus âgé, aurait fini par abandonner le terrain. La grandeur de Versailles ne fut pas du goût de tous : «Si la richesse des bronzes et des marbres ; si la nature étouffée, ensevelie sous un appareil outré de symétrie et de magnificence ; si le singulier, l'extraordinaire, le guindé, l'ampoulé font la beauté d'un jardin ; Versailles mérite d'être préféré à tout» (abbé Laugier, *Essai sur l'architecture*, 1753).

L'alimentation en eau

Le réseau hydraulique de Versailles n'a jamais bien fonctionné. Il faut toujours plus d'eau pour faire jouer les fontaines. Les grandes eaux ne jouent que pour les invités de marque ; encore n'est-ce qu'à l'économie, car elles s'interrompent et reprennent au fur et à mesure de la progression du cortège royal. Leur durée ne dépasse pas deux heures et demie. Quand le roi séjourne à Versailles, on ne fait jouer que les fontaines visibles depuis le château et les terrasses. Pierre Riquet de Bonrepos, l'ingénieur du canal du Languedoc, projette de conduire les eaux de la Loire sur la montagne de Satory afin d'alimenter les jeux d'eau de Versailles. Les calculs de l'Académie des sciences démontrent l'impossibilité de la solution envisagée. La machine de Marly (1681-1685) et ses quatorze roues à aubes puisant l'eau de la Seine ne suffisant pas à apporter de l'eau jour et nuit, on l'abandonne pour utiliser le canal de l'Eure et l'aqueduc de Maintenon. La machine ne sert plus qu'à Marly mais, malgré l'ingéniosité de ses concepteurs, Arnold de Ville et Rennequin Sualem, elle demeure un problème jusqu'au XVIIIe siècle. En 1783, les Bâtiments du roi lancent un concours dans le but de faire fonctionner efficacement et à l'économie un dispositif vétuste, insuffisant et toujours en panne. Il sera détruit en 1817 et remplacé vers 1850 par une machine hydraulique que l'on a démolie en 1968.

Vue de la machine et de l'aqueduc de Marly, par Pierre-Denis Martin, tableau commandé en 1724 (Marly, Musée-Promenade).

Les bosquets de Versailles :
La Salle des Festins, L'Île Royale (Étienne Allegrain), *Le Marais, Le Théâtre d'eau* (Jean Cotelle l'Aîné) ; *La Galerie des Antiques* (Jean-Baptiste Martin) ; *L'Arc de triomphe, L'Entrée du Labyrinthe, Les Trois Fontaines* (Jean Cotelle l'Aîné). Tableaux commandés en 1688 (Versailles, musée national des châteaux de Versailles et de Trianon).

D'origine italienne, le bosquet est un espace clos environné d'arbres qui renferme un bassin, une fontaine ou des jeux d'eau. Peu de jardins créés par Le Nôtre comptent autant de bosquets que celui de Versailles. L'idée ou l'exécution de la plupart d'entre eux lui reviendrait. Le promeneur ne verra pas celui des Sources, détruit vers 1682 et remplacé par la Colonnade de Jules Hardouin-Mansart (1684-1688), restaurée autour de 1924-1927 par Patrice Bonnet. Le roi lui demandant ce qu'il pensait de ce morceau d'architecture, Le Nôtre aurait fait une réponse peu flatteuse : «D'un maçon vous avez fait un jardinier ; il vous a donné un plat de son métier» (Saint-Simon, *Mémoires*, 1700). Le promeneur ne verra pas non plus le Marais et son Chêne vert, dont chaque feuille de cuivre propulsait un jet d'eau. Cette idée, lancée par Madame de Montespan, passa vite de mode. En 1677, Hardouin-Mansart présente à l'Académie d'architecture le modèle des deux pavillons du bosquet de la Renommée, les Dômes (détruits en 1819). Le bosquet des Trois Fontaines, inspiré par le roi et mis en œuvre par Le Nôtre, a aussi disparu. Sa rénovation et celle du théâtre d'eau sont à l'étude, sous la direction de l'architecte en chef des Monuments historiques Pierre-André Lablaude. Du Labyrinthe, il ne subsiste plus que quelques animaux de plomb (1666). Ces bosquets si variés se distinguent par une débauche de jeux d'eau tonitruants, œuvre de Pierre Francine. Le roi, que Le Nôtre appelait plaisamment «le plus grand jardinier du monde», s'est plu à rédiger une *Manière de montrer les jardins de Versailles*, où il s'attache à ces jeux d'eau. Les bosquets sont fermés de grilles que Louis XIV supprime en 1704. Louis XV les fait rétablir en 1730. Pierre de Nolhac, conservateur à Versailles, a rapporté l'état lamentable où se trouvaient, à la fin du XIXe siècle, les bosquets laissés à l'abandon. Le promeneur pourra visiter la salle de Bal, plusieurs fois restaurée depuis 1876, le bosquet de l'Encelade, qui vient de l'être (1996), ainsi que le bosquet de la Renommée.

Après la retraite de Le Nôtre (1693), Hardouin-Mansart dirige entièrement le chantier. En 1705, il transforme la salle du Conseil, ou encore des Festins, en bosquet de l'Obélisque, et celui de la Montagne d'eau (1671-1674) en bosquet de l'Étoile. Sous Louis XV, une tempête balaie les plantations et brise plusieurs statues. La replantation des arbres vieillissants ou malades est engagée en 1774 ; les palissades ne sont pas rétablies et le jardin conserve son aspect échevelé. Les premiers bosquets aménagés pour Louis XIV – le Dauphin et la Girandole – sont remplacés par les Quinconces du Nord et du Midi ; le Labyrinthe cède la place au bosquet de la Reine.

Hubert Robert aménage dans le bosquet du Marais le petit jardin anglais et la grotte où l'on voit le groupe des *Chevaux du Soleil*. En 1817, à la place de l'île Royale, l'architecte Dufour crée le jardin du Roi, un bosquet à l'anglaise. En 1991 et en 1999, le parc a essuyé deux tempêtes fatales aux plantations vieillissantes. Des arbres remarquables ont été détruits dans le jardin anglais de Trianon. Un programme de replantation est à l'œuvre, où les exigences de la fidélité historique et la viabilité des plantations ne sont pas faciles à concilier. Par le choix des fleurs, des formes des topiaires et par les proportions des charmilles taillées, le jardin tend à se rapprocher de l'état qu'il présentait vers 1700.

Le bosquet des Bains d'Apollon, créé par Hubert Robert vers 1776, avec *Apollon servi par les Nymphes*, marbres de François Girardon et Thomas Regnaudin situés jusqu'en 1684 dans la grotte de Thétis, détruite à cette date.

Dessin de topiaires de Versailles, vers 1700 (Versailles, musée national des châteaux de Versailles et de Trianon).

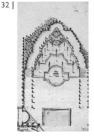

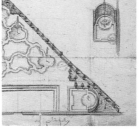

Croquis de Le Nôtre pour la cascade, vers 1675-1685 (Stockholm, Nationalmuseum), et **le bosquet des Sources à Trianon,** vers 1687 (Paris, Institut de France).

Plan de Trianon envoyé en 1694 par Le Nôtre au surintendant des Bâtiments du roi de Suède, Nicodème Tessin le Jeune (Stockholm, Nationalmuseum).

Trianon

Construit par Louis Le Vau en 1670, le «Trianon de porcelaine» connaît une existence éphémère : dix-sept ans plus tard il est détruit. On voit aujourd'hui le Trianon de marbre rose et vert bâti par Hardouin-Mansart en 1687-1688. Les jardins sont créés et entretenus par Michel II Le Bouteux vers 1672-1673, puis transformés en 1694. À l'ouest du palais se trouve le parterre de fleurs, que les jardiniers s'attachent aujourd'hui à reconstituer. Chaque année, le jardin des plantes de Toulon expédiait narcisses, jonquilles, renoncules, jacinthes, tulipes, jasmins, anémones. Les plantes les plus odorantes étaient rassemblées dans le «cabinet des parfums» (détruit). La mode des tubéreuses est déjà passée vers 1695. Vers 1687, Le Nôtre fait réaliser un second bosquet des Sources à l'emplacement actuel de l'aile nord. Il épargne les arbres déjà en place en traçant de petits canaux d'une trentaine de centimètres de large et de haut, dont les sinuosités contournent les troncs; des ronds d'eau jaillissent par endroits. Ce jardin, le seul dont on conserve une description de Le Nôtre, adressée en 1694 au surintendant des Bâtiments du roi de Suède, est «un bois en futaye dont les arbres sont séparé l'un de l'autre, quy ont donné moyens de faire des petits caneaux quy vont serpentans sans ordres et tourne dans les places vides autour des arbres avec des jests d'eau inégallement placé, et tous les caneaux ce sépare et se tienne tombant l'un dans l'autre par unne pente que tout le bois est formé insensible. Des deux costé dans ledit bois sont deux coulettes quy tombe en petite nape, et dedans, des jets d'eau de 12 pié [presque 4 m] de haut, et finisse dans deux goufre d'eau quy se perde dans les terres. Je ne sçaurois assez vous escrire la beauté de ce lieu : cet un frais où les dames vont travaillé, joué, faire collation […]; je puis dire que c'est le seulle jardin, et lé Thuillerie, que je cognoisse aisé à ce promener et le plus beau. Je laisse les autres dans leurs beauté et grendeurs, mais le plus aysez». Il y a aussi le «Jardin particulier quy est toutjous plein de fleurs que l'on change touts les saisons dans des pots, et jamais on ne void de feuille morte ny arbrisseaux quy ne soit en fleurs; il faut que l'on change plus [de] deux millions de pots porté et raporté continuellement»; dans le bois, «l'allé du millieu fait unne voute admirable d'un couvert et d'une hauteur de 50 p. [15 m!] de haut, où le soleil ne perce jamais». Le Nôtre, qui était particulièrement fier des jeux d'eau et des Sources, vante la fraîcheur incomparable des sous-bois qui viennent tout contre le palais et permettent aux dames de passer directement des appartements

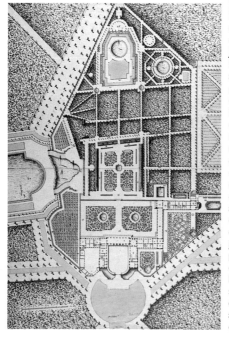

à l'ombre des jardins. Après 1693, Hardouin-Mansart prend le jardin en main. Il fait placer plusieurs statues dans les bosquets des «salles vertes» créées au nord-ouest. En 1699, il remplace l'une des deux cascades par un buffet d'eau, modifie le bassin de la Gerbe et crée une cascade ornée de deux dragons, qui transforme le boulingrin de Le Nôtre et sa cinquantaine de jets d'eau en une nouvelle pièce d'eau rappelant le bosquet de l'île Royale à Versailles : le Plat-Fond (1699-1702), restauré vers 1893-1896. Sous Louis XV, Claude Desgots multiplie les bosquets chantournés (1722); une ménagerie et un jardin botanique sont aménagés. Sous Louis XVI, Richard Mique, architecte de Marie-Antoinette, et le peintre Hubert Robert, dessinateur des jardins du roi, transforment à leur tour Trianon. À la place du jardin botanique, un jardin anglo-chinois est réalisé au nord-est. Il est agrémenté de plusieurs fabriques : temple de l'Amour (1777-1778), Belvédère

(1778-1779), Théâtre (1779), dessinés par Mique. L'architecte crée ensuite un lac artificiel et bâtit le Hameau de la reine (1783-1785), réunion de fabriques dans le goût pittoresque et champêtre mis en vogue en Angleterre, imitées peut-être de celles du hameau de Chantilly et dont certaines sont conservées. Le parc à l'anglaise est peuplé d'arbres exotiques (tulipiers de Virginie, cyprès chauves), qui ont beaucoup souffert de la tempête de décembre 1999.

Le Belvédère construit par Richard Mique pour Marie-Antoinette en 1778-1779.

Le temple de l'Amour, construit par Richard Mique pour Marie-Antoinette en 1777-1778 et restauré vers 1892, abrite une réplique ancienne d'une statue d'Edme Bouchardon.

Le buffet d'eau de Trianon, conçu par Jules Hardouin-Mansart en 1699, a été restauré vers 1892.

**Plan de
Le Nôtre pour
les jardins
du Val,**
vers 1670
(Paris, Institut
de France).

✦ *Saint-de-loup :*
*fossé, généralement
revêtu de
maçonnerie, dont
la fonction est
d'empêcher l'accès
à une demeure
sans interrompre
une perspective.
Il est souvent situé
à l'extrémité d'une
allée principale.*

**Le belvédère
en demi-lune,**
départ de la
Grande Terrasse,
et son mur
de soutènement.

Saint-Germain-en-Laye

Androuet du Cerceau a représenté le Château Vieux de Saint-Germain reconstruit pour François Ier (1539-1547) ainsi que le château conçu par Philibert Delorme (1557-1559), aujourd'hui détruit. Vers 1595, Claude I Mollet plante de parterres de buis le jardin du second, le Château Neuf d'Henri IV. Le parc devient célèbre au début du XVIIe siècle quand les frères Thomas et Alexandre Francine utilisent la dénivellation vers la Seine pour aménager, dans deux des six terrasses qu'ils font construire, quatre grottes ornées d'automates hydrauliques qui font l'admiration des contemporains : Neptune, la Demoiselle Organiste, Orphée charmant les animaux et Persée. Les grottes étaient ornées de coquillages et de coraux, de stalactites, d'arbres et de plantes moulés au naturel, et de figures de cuivre peint. Seuls subsistent le mur de soutènement et l'escalier de la terrasse dorique, la deuxième des six terrasses, avec le pavillon du jardinier, dit «pavillon Sully». Le plan du parc est publié en 1614. Les grottes, difficiles à entretenir, ruinées en 1656, sont restaurées puis détruites. Le Nôtre travaille de concert avec Le Vau, qui réalise les fondations du boulingrin (1663). Le Vau remplace par des rampes droites le grand escalier en fer à cheval reliant la première terrasse des jardins à la deuxième (1664).
Devant l'aile nord du Château Vieux, à la place des jardins de François Ier, Le Nôtre crée le Grand Parterre et ses trois pièces d'eau circulaires, séparés par une grille et un saut-de-loup✦ de l'avenue des Loges, dont il voulait régulariser l'entrée. C'est certainement lui que vise l'accusation de François Francine, intendant des eaux et fontaines : les eaux de Saint-Germain étaient suffisantes, «mais comme l'on eût planté le parterre et celuy du boulingrain, trois coups de compas firent trois grands bassins qui furent en mesme temps construits sans sçavoir où l'on prendroit du fond pour les nourrir» (archives des Bâtiments du roi), en sorte que les bassins, le plus souvent sans eau, furent rapidement ruinés, et qu'il fallut refaire deux fois celui de l'allée des Loges. Touche-t-on ici les limites de l'art de Le Nôtre, plus soucieux des effets que des moyens pratiques d'y parvenir ?
Le Nôtre aménage enfin une voie reliant le château à celui du Val, également situé en bordure de Seine, dont il dessine aussi les jardins : la Grande Terrasse (1669-1672), promenade de 2 400 mètres parallèle à la Seine, à flanc de coteau. Le Nôtre et Le Vau proposent deux solutions différentes, l'une et l'autre connues par le témoignage de Le Nôtre. Celle de l'architecte vise à l'économie en suivant le mouvement du terrain ; il limite sans doute ainsi les coûts en transport de terre. Le jardinier, qui propose de tracer une ligne droite au lieu d'une ligne brisée, l'emporte de haute lutte : «M. Colbert ne vouloit point aussy la faire comme elle est, mais à la fin il me l'acorda, après avoir bien disputé qu'il s'en repentiroit, et qui me renvoya, ne la voulant pas faire» (mention autographe de Le Nôtre). Le projet de construction du tunnel de l'A 14 (Orgeval-Nanterre), qui devait traverser la terrasse, a soulevé une vive polémique en 1993. Depuis, les jardins sont en restauration, sous la direction de Bernard Voinchet, architecte en chef des Monuments historiques. La replantation des tilleuls de la terrasse a été décidée avant la tempête de décembre 1999.

Saint-Cloud

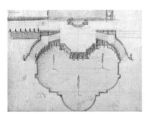

Saint-Cloud appartient aux Gondi depuis 1577. Le domaine est célèbre pour avoir été, à partir de 1625, la résidence de Jean-François de Gondi, archevêque de Paris.
C'est lui sans doute, ou son prédécesseur Jérôme de Gondi, qui fait construire la grotte représentée dans les estampes de Silvestre. Il mène des travaux importants vers 1636, ornant ce jardin en terrasse de nombreuses statues et multipliant les adductions d'eau.
La participation des Francine est attestée. Il ne reste de cette époque que le carré d'eau et son Grand Jet.
Le domaine est acheté en 1655 par Barthélemy Hervart, richissime banquier, intendant des finances et pourvoyeur de fonds de la France en guerre; il poursuit les aménagements hydrauliques. En 1658, Monsieur, frère du roi, devient propriétaire. On ne voit aujourd'hui que l'emprise au sol du château qu'il fait construire par Antoine Le Pautre, Jean Girard et Hardouin-Mansart (détruit en 1870 par un incendie puis rasé); les dépendances sont en revanche conservées. Monsieur agrandit le domaine. Au sud, vers Sèvres, Le Nôtre dirige l'aménagement du jardin du Trianon, belvédère construit au-dessus des jardins bas par Thomas Gobert, en 1670-1671. Le pavillon de Breteuil, restauré après avoir été endommagé en 1870, occupe l'emplacement de ce bâtiment. Au sud de la grotte des Muses et de sa cascade, Le Pautre

La cascade Haute, construite par Antoine Le Pautre vers 1660-1664, et **la cascade Basse** de Jules Hardouin-Mansart, prolongée par un petit canal (vers 1698-1700), ont été restaurées en 1835 puis en 1954-1961.

Croquis de Le Nôtre pour le Fer-à-Cheval du bassin des Cygnes à Saint-Cloud, vers 1687 (Paris, Institut de France).

Arrivée de l'aqueduc de Ville-d'Avray, dans le grand réservoir.

Détail des grenouilles de la cascade Basse.

⁺ Tapis vert :
longue bande de gazon soulignant une perspective, ornant une cour ou une allée. Le Nôtre en a créé à Versailles, Meudon et Saint-Cloud. Au XVIIIᵉ siècle, le tapis vert, ou le boulingrin, remplace souvent le parterre de broderie. Sous Louis XV, la Rivière de Marly a fait place à un tapis vert.

Le bassin des Carpes sert de réservoir d'eau à la Grande Cascade située en dessous.

construit une grande cascade à l'italienne (vers 1660-1664), ornée de statues et agrémentée d'effets spectaculaires. Hardouin-Mansart la prolonge en dessous de l'allée du Tillet par un canal (1698-1700). Ces cascades, entre autres, ont été restaurées sous Louis-Philippe (1835). Le Nôtre donne le dessin du Fer-à-Cheval du bassin des Cygnes, creusé par Girard vers 1672. La terrasse de ce bassin constitue un point de vue idéal vers l'allée de la Balustrade et l'amphithéâtre de verdure de l'architecte Pierre Contant d'Ivry, récemment restauré. Le terrain s'élève également à l'ouest, derrière l'orangerie. Un tapis vert⁺ (restauré vers 1936) vient souligner cette perspective, ponctuée par le motif cher à Le Nôtre des

vingt-quatre jets qui encadrent le bassin quadrilobé de la Petite Gerbe. La montée du terrain s'achève à la Grande Gerbe, au-delà de laquelle la perspective se prolonge.
Le Nôtre conçoit le projet d'un escalier monumental qui aurait continué cet alignement à l'est tout en permettant, sans doute, un accès dans l'axe du château et non plus de biais.
Le réseau hydraulique du ru de Vaulichard, exploité par les Gondi puis par Hervart, devient insuffisant. Vers 1685, Monsieur fait creuser un grand réservoir et un aqueduc souterrain afin d'acheminer les eaux de l'étang de Ville-d'Avray. Entre 1744 et 1752, Contant d'Ivry, employé par Louis-Philippe d'Orléans, trace sur l'axe nord-sud un amphithéâtre de verdure couronné d'un belvédère posé sur la terrasse de la Balustrade. On construit à cette époque des folies, pavillons élégants conçus pour y donner des fêtes galantes, dont il ne reste rien. Le domaine est vendu à Marie-Antoinette

La pièce des Vingt-Quatre Jets encadrant un bassin quadrilobé se trouve dans l'axe du château et de la Grande Gerbe.

en 1785. On a conservé fort peu de chose du XIXᵉ siècle à l'exception de la statuaire; la «lanterne de Démosthène», installée en 1803 pour Bonaparte sur la terrasse de la Balustrade, a été détruite en 1870. On peut toujours admirer les essences exotiques du «Trocadéro», parc à l'anglaise aménagé à partir de 1823 par l'architecte Maximilien Joseph Hurtault sur la colline de Montretout (à droite en entrant). Les principaux tracés du parc remontent au Second Empire, à l'exception des abords du château. La ligne du chemin de fer Paris-Versailles l'a traversé à partir de 1840; un siècle plus tard, la percée de l'autoroute de l'Ouest a amputé une partie du domaine. Le parc, classé en 1994, fait l'objet depuis cette date d'un vaste projet de restauration par l'agence de Pierre-Antoine Gatier, architecte en chef des Monuments historiques, comprenant la restitution des tracés d'origine, le rétablissement des bosquets, des parterres à la française et du décor sculpté. Le bas parc, fouillé en 1994, devrait être planté de pelouse comme au XIXᵉ siècle. Le service des fontaines de Versailles, Marly et Saint-Cloud réhabilite les réseaux d'alimentation des grandes eaux qui circulent encore par écoulement gravitaire; le réseau de Villeneuve-l'Étang aménagé par Hervart ne fonctionne plus, mais celui de Ville-d'Avray est en état de marche. Le «lac du Trocadéro» sert de réservoir.

Les goulettes et les chiens situés au-dessus du Fer-à-Cheval. Les goulettes ont été reconstituées en ciment. Les chiens sont des copies des chiens de bronze de la fontaine de Diane à Fontainebleau par Pierre I Biard (1602).

Quand il vit la **cascade Haute de Saint-Cloud,** le Bernin estima qu'il fallait «cacher l'art davantage et chercher de donner aux choses une apparence plus naturelle, mais qu'en France généralement en tout on fait le contraire». Il dessina une cascade rustique, ajoutant : «Ce que je viens de faire n'est que pour ceux qui ont le goût des belles et grandes choses. Je ne doute pas que l'on ne trouve l'autre plus belle que ce que j'ai fait […]. S'il était bien exécuté, je crois bien que l'on ne pourrait plus regarder l'autre.» *(Journal du voyage du cavalier Bernin en France par M. de Chantelou, 1665.)*

Le Château Neuf de Louvois a été transformé en observatoire en 1877. On aperçoit de biais la terrasse et le carré d'eau du parterre de l'orangerie.

Le mur de soutènement de la terrasse des Marronniers est orné de pilastres colossaux.

La terrasse de l'orangerie. Le Château Vieux se trouvait au-dessus, en arrière.

Meudon

Meudon fut la résidence de la duchesse d'Étampes puis du cardinal de Lorraine, Charles de Guise (1552), avant de devenir celle d'Abel Servien, créature de Mazarin, ministre plénipotentiaire du traité de Westphalie et surintendant des finances. En 1654, Servien achète un château deux fois ruiné par les guerres de Religion et la Fronde. La statuaire du parc, aujourd'hui disparue, n'est pas en meilleur état que le reste. Servien fait restaurer le château (Louis Le Vau, 1656-1657), la grotte des Muses aménagée pour le cardinal de Lorraine et peinte par Primatice et son atelier (1552-1560; disparue), et crée la Grande Terrasse (1657),

dont le mur est rythmé aujourd'hui encore par des contreforts monumentaux. Servien développe enfin les jardins hauts, à l'est. Le domaine passe à Louvois en 1679. Dès 1680, il fait faire les plans et les profils de la nouvelle basse-cour. Le domaine est une fois de plus en mauvais état : à l'est, la «grande montée» du parterre menant au bois et au parc haut est totalement ruinée, tout comme le mur de terrasse placé entre cette montée et la grotte. Une «grande descente» commence au parterre du côté de l'orangerie. Louvois achète les terrains nécessaires pour la constitution d'une extraordinaire perspective – altérée de nos jours par un terrain de sport et un cimetière, sans parler de l'environnement urbain. Une gravure de Silvestre datée de 1686 montre la vue grandiose que l'on avait alors depuis la terrasse du grand parterre, sous laquelle se trouvait l'orangerie de Le Vau, conservée par Louvois. Ce dernier développe les jardins bas, pour lesquels il fait rechercher les eaux en 1681 (carré d'eau) et en 1682. Il fait intervenir Le Nôtre, qui donne le dessin du parterre de l'orangerie et certainement aussi ceux du carré d'eau et des lances, l'hexagone de Chalais (un ancien marais) étant attesté dès 1658. En 1695, le Grand Dauphin et la veuve de Louvois échangent Meudon et Choisy.

Le Grand Dauphin poursuit les travaux des jardins bas, en faisant peut-être appel à Le Nôtre ou à son petit-neveu Claude Desgots. Il fait rétablir en 1696 la grande pièce de gazon conçue par Le Nôtre, que Louvois avait fait remplacer par deux pièces, fait construire la petite cascade de l'allée Sauvage et la cascade d'Artelon, et multiplie les gerbes dans les jardins bas, auparavant hérissés de jets d'eau. Le Grand Dauphin agrandit le domaine en achetant la seigneurie de Chaville. Entre 1696 et 1699, de nouvelles statues sont installées ; on trace un mail et des allées. Louis XIV transforme la salle des Marronniers, où il fait installer une copie de marbre de l'*Ariane* du Vatican, et crée un vertugadin et un tapis vert, qu'une grande allée prolonge à travers bois. Il s'agit peut-être là d'une idée de Le Nôtre,

auquel Hardouin-Mansart a entre-temps succédé. Le premier architecte donne le dessin des deux buffets encadrant la pièce des sept jets, au-dessus du vertugadin. Tous ces aménagements ont disparu. Le Grand Dauphin et Louis XIV ne modifient pas les grandes lignes de Meudon établies sous Servien et Louvois, même si les jardins bas de Le Nôtre ont été assez remaniés et la grotte détruite en 1705. Il se peut que Louis XIV, qui a présidé à bon nombre de ces modifications, soit l'auteur de la *Manière de montrer Meudon*. Outre un immense espace, le parc se distinguait par l'abondance et la richesse de la statuaire installée par Louvois, puis par le roi. Napoléon a fait restaurer les jardins en 1806-1811. Les ruines du Château Neuf, incendié en 1795 et en 1871, ont été transformées en observatoire en 1877.

Les Jardins bas de Meudon, par Israël Silvestre, 1688 (Paris, BnF, département des Estampes et de la Photographie).

Vue depuis la terrasse de l'orangerie sur le début de la grande perspective : le carré d'eau du parterre de l'orangerie.

Sceaux

L'orangerie de Sceaux construite par Jules Hardouin-Mansart pour Jean-Baptiste Colbert de Seignelay vers 1686-1690.

Les masques de bronze, présentés par Rodin à l'Exposition universelle de 1878, ornent le sommet de la cascade reconstituée vers 1927-1935 par Léon Azéma.

Colbert achète la seigneurie de Sceaux en 1670. De 1670 à 1677, il fait agrandir le château, bâtir un belvédère (le pavillon de l'Aurore, peint par Le Brun) et le pavillon des Quatre-Vents (détruit) ; il fait aménager les premiers jardins et le potager. Des travaux d'adduction d'eau commencent ; on construit le bassin de l'Octogone. Le Nôtre donne les dessins de la cascade et de la salle des Antiques, et Le Brun, ceux des fontaines d'Éole et de Scylla.

De 1686 à 1690, Colbert de Seignelay augmente considérablement la surface du domaine et continue les travaux de son père. Il fait ériger par Hardouin-Mansart une seconde orangerie, dont Le Nôtre dessine le jardin, fait creuser un grand canal d'un kilomètre (1687-1688) et réalise la terrasse des Pintades. Les travaux se poursuivent après sa mort par l'aménagement du « canal de Seignelay », qui relie le grand canal à l'Octogone. Le duc du Maine achète le domaine en 1700 et fait construire le pavillon de la Ménagerie. Le duc de Penthièvre, propriétaire depuis 1775, projette en 1786 de créer un jardin à l'anglaise et fait installer vingt-trois bosquets. Le domaine est mis sous

séquestre en 1793 et devient une exploitation agricole. Le château actuel (musée de l'Île-de-France) est construit de 1856 à 1862 pour le duc de Trévise, le château de Colbert ayant été détruit en 1803 par Jean-François Hippolyte Lecomte, son propriétaire depuis 1798 ; dans le même temps, le parc est replanté et les allées tracées suivant le dessin de Le Nôtre. Après la vente du domaine au département de la Seine (1923), Léon Azéma et Jean Claude Nicolas Forestier entreprennent de restaurer le jardin, dont ils reconstruisent la cascade détruite pendant la Révolution (1927-1935). Les eaux de la cascade et du grand jet de l'Octogone fonctionnent en circuit fermé à l'aide d'une pompe ; les bassins sont alimentés par un autre réseau. Le canal recueille les eaux de ruissellement.

La tempête de décembre 1999 n'a pas épargné le parc ; trois mille arbres ont été abattus, parmi lesquels les peupliers d'Italie plantés dans l'entre-deux-guerres au bord du canal.

Le pavillon de l'Aurore, construit vers 1670-1677 et décoré par Le Brun et son atelier, a été restauré en 1999-2000.

44 | Plan de Sceaux en 1785, par P. Champin et E. F. Cicille. Ce plan est très proche de celui que publia Jean Mariette dans *L'Architecture française*, 1727.

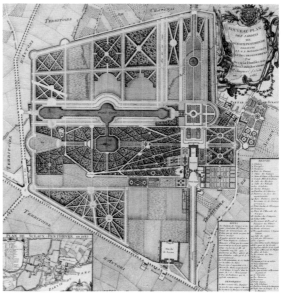

Page de droite
La cascade de Sceaux, l'Octogone et la perspective en direction de La Croix-de-Berny.

Le grand jet de l'Octogone et la cascade de Sceaux.

♦ *Cloître : bosquet entouré d'arbres taillés en berceau; son centre est souvent orné d'un boulingrin ou d'une pièce d'eau. Le Nôtre en a créé à Sceaux, Trianon, Meudon, Choisy et à l'abbaye Saint-Martin-de-Pontoise.*

Une partie des parterres, la terrasse des Pintades et le tapis vert de la plaine des Quatre-Statues (restaurés vers 1970-1980).

On accède aux jardins par l'entrée d'honneur, d'où l'on embrasse, derrière le château, les parterres, la terrasse des Pintades et la plaine des Quatre-Statues. La salle des Tilleuls et la salle des Rochers dessinées par Le Nôtre se trouvaient à main droite du château et des parterres; la demi-lune de Diane, aménagée par Le Nôtre, terminait au nord l'axe nord-sud passant au pied du château, suivant lequel étaient alignés l'Octogone, la cascade et deux tapis verts. En descendant sur la terrasse des Pintades (anciennement du Gladiateur), on découvre soudain le grand canal. En longeant le bras nord et le canal de Seignelay, on arrive à l'Octogone, orné d'un grand jet et entouré de statues commandées par Seignelay; on découvre alors la cascade. On retourne vers la plaine de l'Orangerie où se trouvaient la salle des Marronniers, la salle des Antiques et les bosquets d'Éole et de Scylla, ainsi que le bosquet des Cloîtres♦ et un éventail de salles vertes, tous très probablement dessinés par Le Nôtre. On pourra visiter, partiellement, le pavillon de l'Aurore, qui vient d'être restauré.

Fontainebleau

François Ier fait faire des travaux au vieux château de Fontainebleau (1528-1547) et aménage trois jardins : le jardin du Roi (parterre du Tibre), le jardin de la Reine (jardin de Diane) avec le pavillon des Armes du Rosso et son portail égyptien donnant sur le jardin (disparus), et le jardin des Pins ; ces deux derniers sont visibles dans les gravures d'Androuet du Cerceau. Le jardin du Roi est composé de canaux alimentés par les eaux de l'étang voisin. François Ier fait planter de pins maritimes le jardin des Pins, où le pavillon de Pomone, orné de fresques de Primatice et du Rosso, est détruit en 1766. Seule demeure de cette époque la grotte des Pins (années 1540), traitée en bossages rustiques et dotée de termes et d'atlantes mais dont le décor

Le château de Fontainebleau et le pavillon de l'Étang, situé dans l'alignement du parterre du Tibre et du canal. Vers 1664, Le Nôtre supervisa des travaux de charpenterie dans ce pavillon qui existait déjà vers 1606.

de fresques, d'animaux et de coquillages a disparu. Catherine de Médicis fait placer dans le jardin de la Reine des copies en bronze des marbres du Belvédère que Primatice avait fait mouler à Rome vers 1540 : le *Laocoon*, l'*Ariane endormie*, le *Tibre*, *Le Tireur d'épine* et le marbre de la *Diane à la biche*, qui donna son nom au jardin. Les bronzes sont conservés au château et le marbre au Louvre. Les trois jardins sont transformés sous Henri IV. En 1594, le roi fait réaliser sur l'étang un jardin en presqu'île, le jardin de l'Étang, relié par un pont à la cour de la Fontaine ; un *Hercule au repos* de Michel-Ange y est placé ; Claude I Mollet le plante de buis en 1595, par ordre du roi, et, en 1607, « par commandement exprès de Sa Majesté, la quantité de sept mille pieds d'arbres fruictiers, tant à pépin

qu'à noyau» (Claude I Mollet, *Théâtre des plans et jardinages*, 1652). De 1606 à 1609, Henri IV fait creuser un canal rectiligne de 1145 mètres de long, l'un des premiers du genre. Thomas Francine donne le dessin des fontaines, dont il ne reste presque rien. Le Nôtre modifie le jardin de la Reine; en 1645-1646, il plante quatre carrés de broderie où sont transférées seize statues de marbre qui encadraient auparavant le rond d'eau du Palais-Royal. Quelque vingt ans plus tard, il surveille les travaux du cabinet octogonal situé sur une île, au centre de l'étang et à peu près dans l'axe du grand canal. Cet édicule, encore en place, a été restauré sous le Premier Empire puis en 1834. En 1661, Le Nôtre fait faire les cascades de la tête du canal, dont lui-même, avec Francine, avait pu donner le dessin; elles

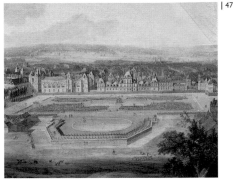

sont en ruine en 1755. En 1664, la fontaine du Tibre mise en place par Francine quitte le parterre du Tibre, où elle se trouvait dans l'axe du grand canal; elle est remplacée par un bassin orné d'un rocher jaillissant, la fontaine du «pot bouillant», dont les quatre cents tuyaux jetaient l'eau à plus de trois mètres de haut. La statue est installée sur les cascades du canal, puis au rond

Le Parterre du Tibre, par Pierre-Denis Martin, 1722. Au centre, la fontaine du «pot bouillant», ruinée en 1817 (Versailles, musée national des châteaux de Versailles et de Trianon).

Le grand canal de Fontainebleau, de 1 145 mètres, creusé de 1606 à 1609 par ordre d'Henri IV pour drainer le terrain.

Les goulettes de la décharge du grand canal.

Page de droite
La tête du canal de Fontainebleau n'est plus ornée par les cascades probablement dessinées par Le Nôtre vers 1661. Elles étaient en ruine en 1755.

d'eau du Romulus, avancée bastionnée créée au sud du parterre du Tibre, sans doute par Le Nôtre. En 1684-1685, ce dernier dirige l'excavation de cinq bassins alignés parallèlement au grand canal, dans la grande prairie

(restaurés à partir de 1980). On projette alors d'achever de conduire les eaux de la Madeleine dans le réservoir d'Avon. De 1809 à 1812, Hurtault crée un jardin à l'anglaise sur l'emplacement du jardin des Pins.

... repaire de serpents et de charognes, de crapauds et de grenouilles...

(Saint-Simon, *Mémoires*, 1715.)

Marly

On considère généralement que Le Nôtre prit à peine part à la création des jardins de Marly. Pourtant, plusieurs projets de son collaborateur Michel III Le Bouteux s'y rapportent; on conserve aussi un dessin de Le Nôtre pour la Rivière, mais on ne connaît pas de plan d'ensemble de sa main. Lorsqu'il s'éloigne de la cour en 1693, Marly est ponctué de berceaux de treillage et de cabinets de verdure. Le château et les pièces d'eau sont alignés au creux de la vallée suivant un axe nord-sud. Le terrain est aménagé en terrasses parallèles à cet axe, couvertes de gazon et bordées

d'Anselme Flamen, installée en 1695 dans le bosquet de Marly, sur une fontaine, ou les *Compagnes de Diane* disséminées dans les bosquets. *Apollon poursuivant Daphné* et *Hippomène poursuivant Atalante* ne sont plus juchés sur les bassins des quatre cabinets de verdure encadrant le château; ils sont désormais au Louvre. Le bassin des Carpes (1704) est bordé de ferronneries dorées et orné en son centre d'oiseaux de métal peints au naturel. Construite à partir de 1696 dans le bosquet de Louveciennes ou du Levant, la cascade champêtre, ornée de rocailles et de coquillages, est modifiée trois fois; elle est aussi bordée de statues. À partir de 1699, des groupes sont également alignés le long de l'axe central. L'Abreuvoir est orné de *La Renommée* et du *Mercure* d'Antoine Coysevox (1702). Les *Chevaux de Marly*, transportés au Fer-à-Cheval des Tuileries en 1719,

Vue de Marly, par Pierre-Denis Martin, tableau commandé en 1724 (Versailles, musée national des châteaux de Versailles et de Trianon).

d'arbustes et d'arbres taillés en cône, en boule, en portique et en dôme. Hardouin-Mansart fait de Marly le sanctuaire de statues que nous ne connaissons plus que par des dessins, des gravures et quelques tableaux. Ce n'est pas à Marly, mais au Musée-Promenade, à Versailles ou au Louvre, que l'on admirera la statuaire conçue pour son ornement, comme la *Diane*

sont remplacés par ceux de Guillaume Coustou (1745), à leur tour transférés aux Tuileries en 1794.
Le domaine comporte peu de sources. La construction du canal de l'Eure permet de récupérer pour Marly les eaux de la Seine, destinées à Versailles; elles sont hissées sur la colline de Louveciennes par les quatorze roues de la machine. Le réseau hydraulique,

mal entretenu sous Louis XVI, cesse de fonctionner à la veille de la Révolution. Ne subsistent aujourd'hui que la rigole, les trois réservoirs (1683-1686), la citerne (vers 1700), l'emplacement de la Rivière conçue par Hardouin-Mansart, plusieurs fois remaniée avant d'être détruite sous Louis XV et remplacée par un tapis de gazon, l'emprise du château, le grand bassin et son grand jet (prévus dès 1685), l'Abreuvoir (1698) et la grille Royale. Le bois de la Princesse, aménagé en 1698-1699 dans le bosquet de Louveciennes, et dont les inhabituelles allées sinueuses tranchaient avec le reste du parc, a disparu. La plupart des communs et les douze pavillons latéraux bâtis en contrebas du château, au nord, jusqu'à l'extrémité de la grande pièce d'eau (1679-1680), où le roi n'invitait que les courtisans en faveur, n'existent plus. Le domaine fut vendu en 1798 et le château démoli en 1816. Des fouilles ont été menées dans le jardin à partir de 1985 ; elles ont permis de retrouver des éléments du réseau hydraulique et des vestiges des carreaux de céramique colorée qui ornaient les bassins.

Les murs de soutènement de cette allée, qui menait au château par une pente abrupte et assez dangereuse pour les carrosses, étaient jadis cachés par une rangée de charmilles. La grille Royale est conservée.

La grande pièce d'eau des jardins de Marly, dont le dessin général a certainement été donné par Michel III Le Bouteux. Le jardin a été restauré vers 1923, puis vers 1936 par Achille Duchêne et Ch. Granger-Veyron.

Le sommet de l'Abreuvoir à Marly, situé en contrebas des jardins, fut orné de 1702 à 1719 par les *Chevaux* de Coysevox, puis de 1745 à 1794 par ceux de Coustou. La restauration de l'Abreuvoir par les services des Monuments historiques est prévue. «J'ay esté à Marli qui est le plus agréable jardin que j'aye veu et qui plairoit fort à Votre Majesté; les desseyns sont tout à fait particuliers en tout, les machines d'eau sont d'une dépense et d'un travail excessif; le soir à mon retour le roy m'en parla durant tout son soupper et voulut que je lui disse mon sentiment sur tous les endroits remarquables en particulier.» (Lettre de Portland à Guillaume III d'Angleterre, 1698.)

La maison de Sylvie.

Chantilly

En bas
Le Grand Degré et les grottes
se trouvent dans l'alignement de la Grande Gerbe, de la «manche» du canal et du vertugadin. De part et d'autre de cette «manche», les parterres, dont les jets ne jaillissent plus aussi haut qu'au temps du Grand Condé. Au fond, le vertugadin.

Androuet du Cerceau a représenté les jardins d'Anne de Montmorency, dont il ne reste rien. En 1643, le domaine passe dans la famille des princes de Condé. Chantilly fut la passion du Grand Condé et de son petit-fils. Les travaux des jardins commencent vers 1662 sous la direction de Le Nôtre, secondé par son neveu Pierre II Desgots puis sans doute par son petit-neveu Claude Desgots. Le Nôtre crée un axe passant à l'est du château, qui commande l'alignement de l'esplanade, du Grand Degré (à partir de 1681; les grottes et les Fleuves, dont Le Nôtre semble avoir donné le dessin en 1683, sont achevés en 1684), de la Grande Gerbe (1666) et de la «manche»

du canal (1672), habillée par un vertugadin (1674).
La perspective, conservée, se prolonge à travers la forêt. Pierre II Desgots est l'auteur du parterre de l'Orangerie (1663), orné d'un grand rond d'eau central et d'une hydre imaginée par Le Nôtre. Hardouin-Mansart fait bâtir l'orangerie à partir de 1683. Plusieurs parterres, bassins et fontaines sont créés à l'ouest du château, probablement sur des dessins de Le Nôtre. Ils ont presque tous disparu. Sur l'emplacement de l'ancien jardin de Bucamp des Montmorency sont créées cinq pièces d'eau jaillissante; celle du milieu reçoit une hydre. L'île du Bois vert est décorée d'un appartement de treillage et d'une fontaine avec un dragon; suit le petit parterre des Grenouilles bordé par le canal du Dragon. Le Nôtre donne vers 1681 le dessin de la cascade de Beauvais, dont la partie supérieure, restaurée, est conservée. Plus à l'ouest encore se succèdent la fontaine de la Tenaille, le jardin de la Faisanderie, le bois de Dulude, la Grosse Gerbe, la fontaine du Pot de Fer, certainement dessinée par Le Nôtre et dont l'eau se précipite dans un gouffre, et le grand jet du carré d'eau orné d'un rocher. Seules subsistent la Tenaille et la Faisanderie, désormais accessibles au public.
Le petit-fils du Grand Condé multiplie les bosquets : un petit labyrinthe, les salles du Sphinx, du Sycomore et du Limaçon,

En 1770, le prince de Condé fait raser le labyrinthe du jardin de Sylvie et crée à côté, dans le carré de l'Arquebuse, un autre labyrinthe orné d'un kiosque à musique chinois. Il fait ensuite tracer un jardin à l'anglaise dans la prairie de Candie, à l'est du grand parterre (1772-1773).

On y trouve un rocher pittoresque, un port de pirogues, une grotte, une île plantée d'orangers, des arbustes exotiques et une guinguette. En 1775, un «hameau» est aménagé à l'extrémité orientale de ce jardin. Les sept bâtisses n'adoptent les dehors rustiques et modestes de demeures paysannes que pour mieux surprendre les visiteurs par un aménagement intérieur très raffiné. En 1789, le parc est loti; le château, l'orangerie et le pavillon de Vénus sont démolis. Les Condé ne retrouvent à la Restauration qu'un domaine mutilé. En 1817, l'architecte Victor Dubois crée un jardin à l'anglaise à l'ouest de l'orangerie. Le pavillon de Manse, qui abrite dès 1679 la machine hydraulique permettant de fournir l'eau du parc, renferme désormais une machine de la fin du XIXe siècle qu'une association remet actuellement en état.

Les jardins, aujourd'hui noyés par les eaux depuis que le système hydraulique, engorgé, ne peut plus fonctionner faute d'entretien, sont en cours de restauration par l'architecte en chef des Monuments historiques Étienne Poncelet.

les bosquets et les salles du Mail, les bosquets de Méléagre et des jeux d'enfants, tous disparus aujourd'hui. Il reste quelques éléments du jeu de l'oie construit vers 1737 et supprimé en 1770. Près de l'orangerie, on aménage une salle de verdure au centre de l'île d'Amour; le pavillon de Vénus y est construit en 1765. La petite île du Bois vert reçoit de petites salles et des cabinets de treillage et de verdure renfermant plusieurs jeux (bague, escarpolette, bascule).

De haut en bas

Le bouillon d'eau à la tête du canal. «C'est un beau naturel de voir tomber unne rivière d'une chutte estonnante et faire l'entré d'un canal sans fin» (lettre de Le Nôtre à Portland, 1698).

L'étang et la fontaine de Sylvie.

La cascade de Beauvais, construite vers 1681-1682 sur le dessin de Le Nôtre, vient d'être restaurée mais n'a pas encore été remise en eau.

Le Grand Degré de Chantilly fut érigé vers 1681 par Daniel Gittard sur des plans de Jules Hardouin-Mansart. Le Nôtre donna le dessin des Fleuves allongés sous les grottes. L'ensemble fut achevé en 1684.

La machine hydraulique du pavillon de Manse a cessé d'alimenter le domaine en eau en 1972. Le bâtiment, construit en 1676-1677, se trouve dans la ville depuis le démembrement du domaine à la Révolution.

Les Tuileries et les Champs-Élysées

Jacques Androuet du Cerceau nous a laissé une vue du jardin du château des Tuileries élevé à partir de 1564 par Philibert Delorme, pour Catherine de Médicis. En 1565, la reine confie à Bernard Palissy la construction d'une grotte; des fragments émaillés de crustacés, de serpents, de grenouilles et de plantes moulés d'après nature ont été retrouvés lors des fouilles du Carrousel (1985-1986).

des lauriers-cerises et des tins, des rosiers, des narcisses, des tulipes et même des orangers. Renard fait aménager des allées hautes en terrasse revêtues de gazon où Mademoiselle de Montpensier aime à se promener; le Bernin les admire en 1665. Ce jardin, qui devient le rendez-vous de la cour et un lieu de rencontres galantes, est détruit en 1668 par la création des Tuileries, que Le Nôtre prolonge à l'ouest par les futurs Champs-Élysées, axe central de la patte d'oie projetée. Les Tuileries posent

Plan du jardin des Tuileries
après les travaux de Le Nôtre. Ce plan est très proche de celui que dessina Israël Silvestre en 1671 (Paris, musée Carnavalet).

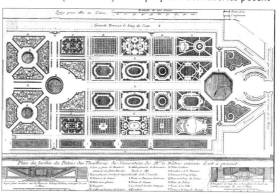

Vue du bout de la grande allée des Tuileries,
dessin et gravure de Gabriel Pérelle, vers 1671. L'axe de la grande allée, qui existait déjà au temps du père de Le Nôtre, est prolongé par le «nouveau chemin de Versailles», l'avenue des Champs-Élysées (Paris, musée du Louvre, département des Arts graphiques, recueil Grosseuvre).

Le jardin est planté en 1594 par Pierre Le Nôtre, le grand-père d'André. Vers 1600, Claude I Mollet modifie les parterres situés près du château. Le jardin distribué en damier n'est pas transformé jusqu'à l'intervention d'André Le Nôtre. Renard fait aménager le terrain de la garenne cédé à titre précaire par Louis XIII (1631-1652) et situé à l'extrémité des Tuileries, vers l'emplacement actuel de l'octogone. Michel I Le Bouteux y plante des palissades de jasmins et de myrtes, des grenadiers, des figuiers nains et des hépatiques, des jacinthes bleues et blanches,

le même problème que le Palais-Royal ou que n'importe quel jardin ouvert au public : en 1681, Sa Majesté est informée «que plusieurs personnes, abusans de l'entrée libre qu'Elle a permis dans son jardin des Thuileries, y arrachent les plantes et fleurs et rompent les branches des arbres et y font plusieurs autres désordres, et mesmes que les laquais et autres gens de livrée montent sur les murailles et terrasses dudit jardin pour y entrer, et s'attroupent à l'entrée des portes où ils font insulte aux portiers, et autres personnes entrans et sortans dudit jardin» (archives des Bâtiments du roi). Le roi interdit formellement cette conduite. Le jardin des Tuileries était alimenté par la pompe de la Samaritaine, installée sur le Pont-Neuf; un témoignage du XVIIIe siècle rapporte que le grand bassin ne recevait jamais assez d'eau. En 1769, l'architecte Le Camus donne les plans d'un colisée

dans les marais situés au-delà des Tuileries. Le plan des jardins dépendant de cette salle de spectacles est conçu de manière à s'accorder avec la nouvelle plantation de l'avenue des Champs-Élysées, décidée en 1767. En 1783, comme un particulier demande à bâtir le long de la chaussée – ce qui est en principe interdit –, l'administration estime qu'il faut « conserver la belle avenue des Champs-Élysées au pont de Neuilly dans l'état où elle est et dégagée de maisons, de bâtimens et de murs qui lui donneroient bientôt l'air des sales et vilaines rues des faubourgs », et qu'il serait bien dommage « que la belle chaussée, ou plutôt cette superbe avenue des Champs-Élisées au pont de Neuilly, faite à si grands frais, se trouvât insensiblement bordée de maisons et surtout de cabarets » (archives des Bâtiments du roi). En 1794, la Convention rénove le jardin et place les *Chevaux de Marly* à l'entrée des Champs-Élysées.

Le Directoire poursuit les plantations d'arbres exotiques et fait du jardin un musée de statues (1797-1798). C'est en 1859, du fait des travaux d'Haussmann, que les Champs-Élysées prennent l'aspect que nous leur connaissons.
Les travaux du Grand Louvre suppriment le jardin du Carrousel créé par Jean-Pierre Barillet-Deschamps pour masquer le décrochement entre l'axe du Louvre et celui des Tuileries (le palais, incendié en 1871, fut démoli en 1882). Les travaux de Louis Benech, Pascal Cribier et Jacques Wirtz, lancés en 1991, ont préservé certaines des essences plantées sous le Second Empire dans le jardin réservé de Napoléon III ; les paysagistes ont choisi des floraisons annuelles aux coloris très raffinés. Restent de Le Nôtre les terrasses, les escaliers, le grand rond d'eau, l'octogone et le Fer-à-Cheval. Le jardin est aujourd'hui le cadre d'une exposition permanente de statues modernes et contemporaines.

L'escalier de l'esplanade des Feuillants, dessiné par Le Nôtre (à droite du bassin octogonal).

La rampe gauche du Fer-à-Cheval dessiné par Le Nôtre.

Le Palais-Royal

**Les jardins
du Palais-Royal**
rénovés par le
paysagiste Mark
Rudkin en 1992.
On a creusé
le bassin en
1814-1816
à la demande de
l'architecte Pierre
François Léonard
Fontaine,
et les parterres
entourés
de barrières
métalliques
en 1824.

À partir de 1629, le cardinal de Richelieu fait construire près du Louvre un palais et un jardin ; Jean Le Nôtre y plante un petit parterre de fleurs et un parterre en broderie suivant le dessin remis par le contrôleur des jardins Jacques Boyceau. Les allées et les bosquets d'ormes et de charmes sont créés en 1634, en même temps que la fontaine, d'une douzaine de mètres de large, et le grand rond d'eau, d'une soixantaine de mètres de diamètre. L'année suivante, Richelieu achète un grand volume d'eau à l'un des entrepreneurs de l'aqueduc d'Arcueil. Le jardin est tracé dans l'axe du palais ; l'espace restant à l'ouest est planté d'ormes. La fontaine et son jet d'eau sont alignés suivant une allée centrale recoupée perpendiculairement par des allées secondaires.

Le Nôtre, qui vient d'achever la replantation et l'agrandissement des Tuileries, entreprend de redessiner les jardins du Palais-Royal pour le duc d'Orléans (1672-1675). Il dégage la vue en supprimant presque tous les arbres, à l'exception de ceux qui bordent les allées, et transfère la fontaine plus au nord. Il remplace les bosquets situés entre le parterre et le grand rond d'eau par des marronniers, des ifs et des épicéas entourés de pièces de gazon. Le Nôtre place enfin plusieurs tapis verts dans la grande allée occidentale. En 1672, le roi est informé que des particuliers logés dans l'enceinte du Palais-Royal jettent leurs ordures par les fenêtres. Les immondices et les eaux usées, qui tombent sur les arbres et les palissades nouvellement plantés au pourtour du jardin, les font dépérir ; le jardin est sale

et puant. Ce n'est pas tout : « Plusieurs personnes, sous prétexte de promenade, y mènent leurs enfants, y font entrer des chiens, et ont l'insolence d'y faire leurs ordures » (archives des Bâtiments du roi). Le roi fait interdire cette pratique. Vers 1730, Claude Desgots, petit-neveu de Le Nôtre, redessine à son tour le Palais-Royal. Le jardin est divisé en deux parties : deux parterres précèdent une demi-lune de treillages ponctuée par six statues. Cette entrée mène au grand rond d'eau placé au centre d'un bosquet octogonal, dont quatre côtés, échancrés en demi-cercles, abritent quatre statues. En 1780, le duc de Chartres envisage de lotir le jardin à des fins lucratives. Il abat une allée de marronniers chère aux Parisiens et fait construire par Victor Louis des galeries marchandes logées sous des arcades, qui amputent le jardin d'une partie de sa surface.

Le Palais-Royal est surnommé le « palais marchand ». Le jardin, ouvert au public, est le théâtre de toutes les libertés ; on y échange les nouvelles, et les étrangers s'y pressent, poussés par la curiosité. C'est là que Camille Desmoulins harangue le peuple deux jours avant la prise de la Bastille. Le canon miniature, installé en 1799 et qui tonnait de nouveau à midi depuis 1990, a malheureusement été volé. Le jardin, qui sert aujourd'hui de cadre à des expositions temporaires de statues contemporaines, n'a plus grand-chose à voir avec l'œuvre de Le Nôtre. Il a été rénové en 1992 par le paysagiste Mark Rudkin ; les galeries de verdure des tilleuls et les parterres de fleurs font tout son charme.

La galerie de Valois (Victor Louis, vers 1781-1784). Le Palais-Royal abrite des boutiques depuis 1784.

**Vue sur
le bassin
octogonal**
du jardin
et l'allée de
l'Observatoire.

Page de droite
**La fontaine
Médicis,**
ancienne
«grotte»
construite par
Pierre ou Thomas
Francine dans
les années 1620,
a été restaurée
en 1802 puis
déplacée
par Alphonse
de Gisors sous
Louis-Philippe.

*Double page
suivante*
La pépinière
à l'extrémité
sud du jardin.

**L'arrière
de la fontaine
Médicis.**

Le Luxembourg

En 1615, Marie de Médicis
fait bâtir un palais par Salomon
de Brosse, à qui Jacques
Lemercier succède à sa mort.
Les palissades et les bosquets
du jardin sont plantés dès 1612-
1613 par Guillaume Boutin.
En 1620, Jean Le Nôtre s'associe
à ce dernier et à Simon
Bouchard : le bénéficiaire d'un
éventuel marché pour le jardin
de la reine au Luxembourg
s'engage à y associer les deux
autres. Pour alimenter le jardin
en eau, la reine ordonne
en 1613 la construction de
l'aqueduc d'Arcueil qui
achemine les eaux de Rungis
jusqu'à Paris. Thomas Francine
est chargé de contrôler
les travaux. La plomberie
des bassins des fontaines est
réalisée en 1626 sous
la direction de Pierre Francine,
qui donne le dessin du perron
permettant d'accéder au
parterre. La même année,
il commande 31 mètres
de balustrade en marbre de
Carrare destinée à longer
la première allée du parterre,
et 46 autres mètres pour la
cour, dont Salomon de Brosse
donne le profil. Jacques Boyceau
a publié le plan du parterre
de broderie entouré d'allées
en terrasse en forme
d'amphithéâtre. Les Parisiens
apprécient l'air pur de cette
colline ; les nouvellistes
se rassemblent dans le jardin
ouvert au public par
Mademoiselle de Montpensier
(1672), qui y emploie peut-être
Le Nôtre. En 1782, le comte
de Provence fait abattre des
arbres et aliène la partie ouest
du jardin où sont percées

les actuelles rues de Fleurus,
Jean-Bart et Duguay-Trouin.
En 1790, le jardin s'agrandit au
sud sur les terrains des
Chartreux ; il est replanté vers
1801. Au début du XIXe siècle,
l'architecte Jean-François
Chalgrin façonne les abords
du palais tels que nous les
connaissons avec le bassin,
les demi-lunes du parterre,
les talus gazonnés et l'allée
de l'Observatoire (1811),
transformée en avenue en 1867.
Son successeur donne
une forme octogonale au bassin
rectangulaire et nivelle
le terrain entre le parterre et
l'allée de l'Observatoire.
La physionomie du parc est
entièrement transformée sous
Haussmann. Le jardin perd une
partie de sa surface et reçoit
un kiosque à musique, exemple
caractéristique du mobilier
urbain cher à l'ingénieur
urbaniste Alphand. Gisors
déplace et remanie la grotte ou
« fontaine Médicis » de Francine
(cette perspective, qui marquait
à l'origine les limites nord-est
du jardin, se trouvait aux
environs de la place Edmond-
Rostand). Il construit également
l'orangerie Férou et le musée
du Luxembourg. La superficie
du jardin est définitivement
circonscrite par le préfet
Haussmann, qui fait lotir la
pépinière et tracer au sud
l'actuelle rue Auguste-Comte
(vers 1866). Les statues datent
pour la plupart des années
1840-1900. Ce parc aux
essences magnifiques est le
rendez-vous des étudiants, des
gens du quartier, des amateurs
d'apiculture et des enfants,
enchantés par les poneys et
les petits bateaux du bassin.

Orientation bibliographique

Benech (Louis), Castelluccio (Stéphane), Mabille (Gérard), *Vues des jardins de Marly. Le roi jardinier*, Paris, éd. Alain de Gourcuff, 1998.

Castelluccio (Stéphane), «Le Nôtre, jardinier collectionneur», *L'Estampille-Objet d'art*, n° 349, juillet-août 2000, p. 42-59.

Caumont (Gisèle) et *al.*, *La Main du jardinier, l'œil du graveur. Le Nôtre et les jardins disparus de son temps. Gravures du musée de l'Île-de-France*, cat. exp., Sceaux, MIDF, 2000.

Garnier (Nicole), *André Le Nôtre (1613-1700) et les jardins de Chantilly*, Paris, Somogy, 2000.

Hazlehurst (Franklin Hamilton), *Gardens of Illusion. The Genius of André Le Nostre*, Nashville (Tennessee), Vanderbilt University Press, 1980.

Lablaude (Pierre-André), *Les Jardins de Versailles*, Paris, Scala, 1995.

Le Nôtre, un inconnu illustre ?, Paris, Éditions du patrimoine, coll. «Idées et débats», 2003.

Pérouse de Montclos (Jean-Marie), *Vaux-le-Vicomte*, Paris, Scala, 1997.

Rostaing (Aurélia), «André Le Nôtre et les jardins français du XVIIe siècle : perspectives de recherche et "vues bornées"», *Revue de l'art*, n° 129, 2000-3, p. 15-27.

Weber (Gerold), *Brunnen und Wasserkünste in Frankreich im Zeitalter von Louis XIV*, Worms, Werner'sche Verlagsgesellschaft, 1985.

Légendes

Couverture
1re : parterre de broderie (détail), Vaux-le-Vicomte.
4e : bassin de Flore, Versailles.
1er rabat ext. : Étienne Allegrain, *Le Parterre du Nord à Versailles* (détail), 1688 ; Louis XIV est en bas au centre, Le Nôtre à sa droite, le bras tendu (musée national des châteaux de Versailles et de Trianon).
2e rabat ext. : Sceaux.

Page 1, de haut en bas : Versailles, Vaux-le-Vicomte, Sceaux (détail du pavillon de l'Aurore).

Visite, p. 22
Détail des grenouilles de la cascade Basse, Saint-Cloud.

Chronologie
De gauche à droite et de haut en bas :
• La vie politique :
Pierre Paul Rubens, *Henri IV reçoit le portrait de Marie de Médicis*, vers 1621-1625, Paris, musée du Louvre, RMN/Jean Lewandowski ; école française du XVIIe siècle, *La Reine Anne d'Autriche assise présentant Louis XIV enfant alors Dauphin*, vers 1640, musée national des châteaux de Versailles et de Trianon, RMN ; école française du XVIIe siècle, d'après Mignard, *Louis XIV*, château de Chambord, CMN/Pascal Lemaître ; Martin Desjardins, élément provenant du monument à la gloire de Louis XIV et de la paix de Nimègue : *L'Hérésie détruite ou la Révocation de l'édit de Nantes*, vers 1685-1686, Paris, musée du Louvre, RMN/Ojéda, Le Mage.
• Jardiniers du XVIIe siècle :
Abraham Bosse, *Alexandre Francine*, 1631, Paris, BnF ; Michel Lasne, *Claude I Mollet*, Paris, BnF ; autoportrait de Jean Le Pautre, après 1674, Paris, BnF ; Gérard Edelinck, *Jean de La Quintinie*, Paris, BnF ; Vincenzo Vangelisti, d'après Hyacinthe Rigaud (1712), *Antoine Joseph Dezallier d'Argenville*, 1775, Paris, BnF.
• Jardins du XVIIe siècle :
Tivoli, villa d'Este, Paris, BnF ; Jean Marot, *Grotte du Luxembourg*, vers 1655, Paris, BnF ; Louis Meunier, *La Fontaine des Tritons à Aranjuez*, 1665, Paris, BnF ; Israël Silvestre, *Les Cascades de Liancourt*, 1656, Paris, BnF ; Adam Pérelle, d'après Israël Silvestre, *La Grotte de Saint-Cloud*, avant 1654, Paris, BnF.
• Vie et œuvre de Le Nôtre :
Carlo Maratta, *Le Nôtre*, vers 1679, musée national des châteaux de Versailles et de Trianon, RMN/Gérard Blot ; Israël Silvestre, *Les Parterres de Vaux-le-Vicomte*, vers 1658, Paris, musée du Louvre ; Adam Pérelle, *La Fontaine de l'Île à Chaville*, vers 1680, Paris, BnF ; Jean Le Pautre, *La Grotte de Thétis*, 1672, Versailles, CMN/Jean-Jacques Hautefeuille ; Israël Silvestre, *Le Parterre de la grotte de Meudon*, 1685, Paris, BnF, Jean-Jacques Hautefeuille.

Crédits photographiques

Direction de la collection
Alix Sallé
Coordination éditoriale et documentaire
Anne-Sophie Grouhel
Correction
Véronique Julia
Suivi de fabrication
Carine Merse
Conception
Atalante/Paris
Réalisation graphique
Jean-François Gautier
Infographie
Jean-Philippe Guillerme
Photogravure
Scann'Ouest/Saint-Aignan-de-Grand-Lieu
Impression
Néo-Typo/Besançon, France

Dépôt légal 1re édition : mai 2001
Nouvelle édition : septembre 2004